새 교육과정 3~4학년 STEAM 과학

KB085534

안쌤의

최상위
줄기과학

초등 4·2

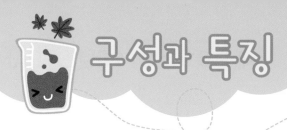

구성과 특징

개념

교과서 핵심 내용을 간결하면서도 이해하기 쉽게 설명해 놓았습니다. 또한, 풍부한 시각 자료가 있어 개념이 확실히 잡히도록 구성하였습니다.

🌱 개념 더하기
교과서 개념을 이해하는 데 도움이 되는 설명들로 구성하였습니다.

🌱 탐구
단원의 중요 탐구를 제시하여 중요 내신형 탐구 문제를 쉽게 해결할 수 있도록 구성하였습니다.

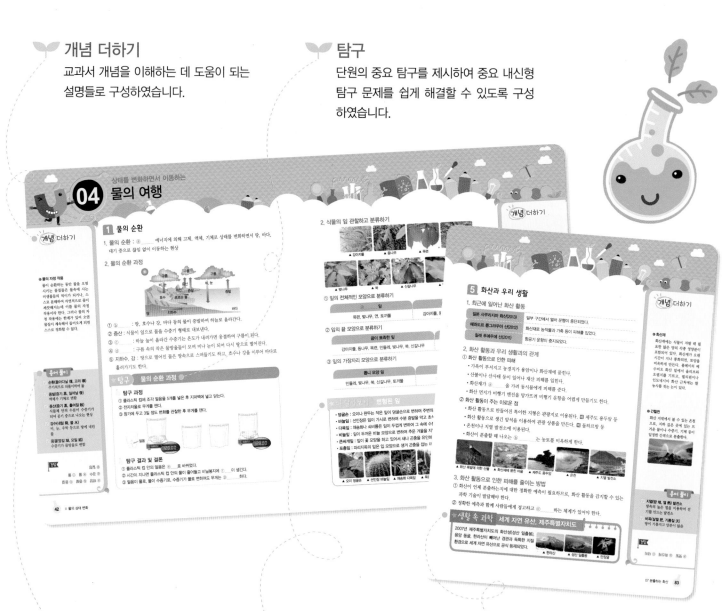

🌱 용어 풀이
한자의 뜻을 알면 용어의 뜻을 잘 이해할 수 있어 과학 용어를 잘 기억할 수 있습니다.

🌱 더 알아보기
학교 시험에 나올 수 있는 문제를 대비하여 교과서 개념을 응용하거나 적용된 실생활 내용으로 구성하였습니다.

🌱 생활 속 과학
새 교육과정의 융합인재교육(STEAM)에서 강조하고 있는 생활 속 과학을 교과서 개념이 적용된 내용으로 구성하였습니다.

문제 구성

교과서 핵심 내용 파악을 확실히 했는지 확인하기 위한 객관식 문제 유형과 서술형 문제 유형을 구성하였습니다. 또한 새 교육과정에서 강조하는 융합인재교육(STEAM)을 위한 융합사고력 문제 유형과 STEAM 실험실로 탐구력 향상 문제 유형을 구성하였습니다.

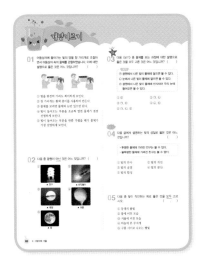

🌱 개념 기르기

개념을 확실히 파악했는지 학교 시험에 잘 나올만한 문제를 통해 기초를 튼튼히 기를 수 있도록 구성하였습니다.

🌱 서술형으로 다지기

학교 시험에서 마지막에 등장하는 서술형 문제를 집중적으로 연습할 수 있고, 문제를 해결하기 위한 사고의 흐름을 🔍손에 잡히는 문제 해결로 제시하여 문제해결력을 다질 수 있도록 구성하였습니다.

🌱 융합사고력 키우기

창의 서술형 평가로 새롭게 등장한 융합형(STEAM) 문제를 대비할 수 있도록, 신문기사(NIE), 실생활 속 제품, 과학사 등의 지문을 이용하여 서술형 문제와 논술형 문제를 넣고, 🔍손에 잡히는 문제 해결로 융합적 사고의 흐름을 제시하여 융합사고력을 키울 수 있도록 구성하였습니다.

🌱 탐구력 키우기

새 교육과정으로 등장한 단원별 마무리 STEAM 활동처럼 단원을 STEAM 탐구로 마무리할 수 있도록 구성하였습니다.

📒 문제 구성 속 아이콘

ⓐ 개념 속 빈칸	정답 개념 속 빈칸 정답	⭐중요	신유형	논술형 논술형
눈으로만 보는 개념보다 빈칸을 채워가며 완성하는 개념이 학습에 도움이 됩니다. 이를 위해 핵심 개념에 빈 칸을 넣어 구성하였습니다.	빈칸을 채워가며 개념을 완성하는 데 정답 확인이 번거롭지 않도록 개념 페이지 하단에 정답을 넣었습니다. 답을 바로바로 확인하면서 개념 페이지를 완성할 수 있습니다.	출제 빈도가 높은 문제에는 중요 아이콘을 표시했습니다. 이 문제는 확실히 이해하고 넘어가도록 합니다.	새 교육과정에 맞춰 새롭게 등장한 유형으로 학교 시험 예상 문제입니다.	최근 창의 서술형 평가로 새롭게 등장한 논술형 문제를 대비할 수 있도록 구성하였습니다.

차례

I 식물의 생활

이 단원의 주요 내용

식물을 관찰하여 생김새와 특징을 알고,
사는 곳에 따라 생김새와 생활 방식이 어떤
관련이 있는지 알아본다. 식물의 특징을 모방하여
활용한 사례를 알아보고, 식물의 특징이
실생활과 깊은 관련이 있음을 안다.

⭐ 2015 개정 교육과정 교과서

　초등 3~4학년 군 :
　　　　　4학년 2학기 1단원 식물의 생활

⭐ 다른 학년과의 연계

　초등 3~4학년 군 : 식물의 한살이
　초등 5~6학년 군 : 생물과 환경, 식물의 구조와 기능
　중학교 1~3학년 군 : 생물의 다양성, 식물과 에너지

01 식물의 생김새

1 학교 주변에서 볼 수 있는 식물

1. 식물을 관찰할 때 주의할 점

① 선생님의 지도에 잘 따른다.

② 수업을 받고 있는 다른 학생들에게 피해를 주지 않도록 조용히 활동한다.

③ 식물을 꺾거나 ⓐ＿＿＿＿하지 않고, 그림을 그리거나 사진으로 찍어 기록한다.

④ 식물을 뽑아 다른 곳에 심지 않는다.

⑤ 모르는 식물은 함부로 냄새를 맡거나 ⓑ＿＿에 넣지 않는다.

⑥ 식물을 관찰한 다음에는 비누로 손을 깨끗이 씻는다.

2. 학교 주변에서 식물을 볼 수 있는 곳

① 교문 옆, 놀이터, 체육관 근처, 화단, 연못, 학교 뒷산 등

② 햇빛이 잘 드는 곳, 그늘진 곳, 물이 흐르는 곳 등

3. 식물 관찰 계획

① 식물을 관찰하기 위해 필요한 것 : 식물 카드, 필기도구, 돋보기, 식물도감, 사진기, 줄자 등

② 식물 관찰 계획서

기록자	예 안예은
관찰한 날짜	(　　　　)년 (　　)월 (　　)일 (　　)요일 (　　)시
관찰한 식물	예 강아지풀
관찰한 장소	학교 화단
관찰하고 싶은 점	• 식물이 사는 곳은 어디일까? • 식물이 사는 곳의 환경 특징은 어떨까? • 잎과 줄기의 생김새는 어떨까? • 식물의 꽃은 어떤 모양이며 무슨 색깔일까?

★더 알아보기 가정에서 키우면 도움이 되는 식물

- **거실** : 유해 물질 제거 기능과 공기 정화 능력이 있는 식물 예 행운목, 고무나무 등
- **침실** : 공기 정화 기능이 뛰어난 식물 예 산세비에리아, 싱고니움 등
- **주방** : 불연소 가스를 제거하는 식물 예 벤자민고무나무, 스파티필름 등
- **공부방** : 이산화 탄소와 전자파를 흡수하고 음이온을 방출하는 식물 예 산세비에리아, 팔손이나무 등
- **화장실** : 암모니아 냄새를 제거하고 어두운 곳에서도 잘 자라는 식물 예 국화, 관음죽 등

개념 더하기

● 식물의 특징을 관찰하는 법

- 사는 곳을 확인한다.
- 줄기의 모양을 확인한다.
- 꽃 피는 시기를 확인한다.
- 꽃의 모양과 색깔을 확인한다.
- 잎의 모양을 관찰한다.
- 잎이 줄기에 붙어 있는 모습을 관찰한다.

용어 풀이

✔ **채집(캘 採, 모을 集)**
  찾아서 캐거나 모으는 것

정답

ⓐ 채집 ⓑ 입

4. 서식 환경을 알아보고 식물 관찰하기

① ⓐ_____이 잘 드는 곳에 사는 식물 : 해바라기, 국화, 코스모스, 장미, 철쭉, 강아지풀, 나팔꽃, 향나무, 소나무, 무궁화 등

② 숲 속에 사는 식물

- ⓑ_____ 바르고 습기가 많은 곳 : 고사리, 닭의장풀 등
- ⓒ_____ 지고 습기가 많은 곳 : 이끼 등

▲ 고사리

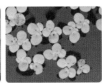
▲ 이끼

③ 연못과 연못 주변에 사는 식물

- 잎이 물 위로 뻗어서 사는 식물 : 연꽃, 부들, 갈대, 줄, 창포 등
- 잎이 물에 떠서 사는 식물 : 수련, 마름, 가래 등
- 물에 떠서 사는 식물 : 개구리밥, 생이가래, 부레옥잠 등
- 물속에 잠겨서 사는 식물 : 검정말, 나사말, 물수세미 등

▲ 연꽃　　▲ 갈대　　▲ 수련　　▲ 개구리밥　　▲ 검정말

5. 관찰일지 정리하기

생김새 및 특징	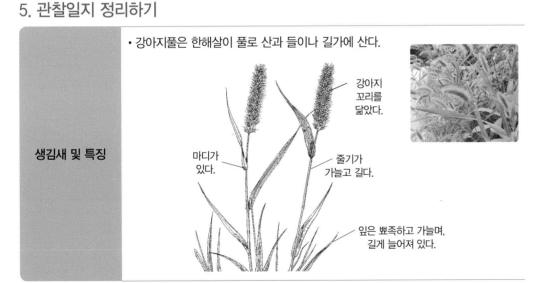 • 강아지풀은 한해살이 풀로 산과 들이나 길가에 산다. 강아지 꼬리를 닮았다. 마디가 있다. 줄기가 가늘고 길다. 잎은 뾰족하고 가늘며, 길게 늘어져 있다.

6. 관찰한 식물의 공통점과 차이점

공통점	차이점
• 잎, 줄기, 뿌리를 가지고 있다.	• 잎, 줄기, 뿌리의 생김새가 다양하다. • 꽃이 있는 식물이 있고 없는 식물이 있다.

개념 더하기

● 햇빛이 잘 드는 곳에 사는 식물

▲ 해바라기　▲ 국화　▲ 코스모스

▲ 장미　▲ 철쭉　▲ 강아지풀

▲ 나팔꽃　▲ 향나무　▲ 소나무

● 숲속에 사는 식물

▲ 닭의장풀

● 연못과 연못 주변에 사는 식물

▲ 부들　▲ 줄　▲ 창포

▲ 마름　▲ 가래　▲ 생이가래

▲ 부레옥잠　▲ 나사말　▲ 물수세미

용어 풀이

✓ 서식(살 棲, 숨쉴 息)
동물과 식물들이 일정한 곳에 자리를 잡고 삶

정답

ⓐ 햇빛　ⓑ 양지　ⓒ 그늘

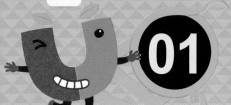

개념 더하기

● 재미있는 이름을 가진 식물

• 꽝꽝나무 : 잎이 두꺼워 불 속에 넣으면 타면서 '꽝꽝'하는 소리가 난다고 하여 붙여진 이름이다.

• 괭이밥 : 고양이가 잘 뜯어 먹는다고 하여 붙여진 이름이다.

• 칠엽수 : 작은 잎 일곱 개가 모여 하나의 큰 잎을 이룬다고 하여 붙여진 이름이다.

• 곰취 : 곰이 취하도록 먹는다고 하여 붙여진 이름이다.

• 노루오줌 : 노루의 오줌처럼 고약한 냄새가 난다고 하여 붙여진 이름이다.

• 닭의장풀 : 닭장 근처에서 쉽게 볼 수 있기 때문에 붙여진 이름이다.

▲ 꽝꽝나무

▲ 괭이밥

▲ 칠엽수

▲ 곰취

▲ 노루오줌　▲ 닭의장풀

2 학교 주변에서 자라는 여러 가지 식물의 이름

1. 식물 생김새에 따른 식물의 이름

① ⓐ_____ : 꽃이 필 때 머리가 땅을 향하여 굽어 있고, 열매가 하얀색 털로 덮여 있어 할머니의 머리처럼 보여서 붙여진 이름이다.

② ⓑ_____ : 열매 끝에 거꾸로 된 가시 모양의 털이 있어 짐승의 털이나 사람의 옷에 잘 붙어서 붙여진 이름이다.

③ ⓒ_____ : 열매가 쥐의 똥처럼 생겨서 붙여진 이름이다.

④ 달걀꽃(개망초) : 꽃의 모양이 달걀 프라이 모양 같아서 붙여진 이름이다.

⑤ 팔손이 : 여덟 개의 작은 잎이 손바닥 모양으로 붙어 있어 붙여진 이름이다.

▲ 할미꽃

▲ 도깨비바늘

▲ 쥐똥나무

▲ 달걀꽃(개망초)

▲ 팔손이

2. 식물의 특징에 따른 식물의 이름

① ⓓ_____ : 줄기를 꺾으면 아기의 설사와 같은 즙이 나와서 붙여진 이름이다.

② ⓔ_____ : 꽃이 피는 기간이 매우 길어 무궁무진하게 볼 수 있어서 붙여진 이름이다.

③ ⓕ_____ : 잎을 문지르면 생강 냄새가 나서 붙여진 이름이다.

④ 분꽃 : 옛날에 꽃의 검은색 씨를 갈아 하얀색 가루를 만들어 화장을 해서 붙여진 이름이다.

⑤ 인동초 : 겨울에 가는 덩굴이 말라 죽지 않고 봄에 다시 싹이 나서 붙여진 이름이다.

▲ 애기똥풀

▲ 무궁화

▲ 생강나무

▲ 분꽃

▲ 인동초

3 식물 잎의 생김새에 따른 분류

1. 여러 가지 식물의 잎 채집하기

① 식물의 잎을 채집할 수 있는 곳 : 학교 화단, 뒷산, 연못가 등

② 식물의 잎을 채집할 때 주의할 점

• 식물을 사랑하는 마음을 가지고, 함부로 줄기나 가지를 꺾지 않는다.

• 나무에 올라가지 않는다.

2. 식물의 잎 관찰하고 분류하기

▲ 강아지풀　　▲ 등나무　　▲ 목련　　▲ 민들레

▲ 벚나무　　▲ 쑥　　▲ 신갈나무　　▲ 연　　▲ 토끼풀

① 잎의 전체적인 모양으로 분류하기

ⓐ ＿＿＿＿ 잎	ⓑ ＿＿＿＿한 잎
목련, 연, 토끼풀	강아지풀, 등나무, 민들레, 벚나무, 쑥, 신갈나무

② 잎의 끝 모양으로 분류하기

끝이 뾰족한 잎	끝이 뾰족하지 않은 잎
강아지풀, 등나무, 목련, 민들레, 벚나무, 쑥, 신갈나무	연, 토끼풀

③ 잎의 가장자리 모양으로 분류하기

톱니 모양 잎	톱니 모양이 아닌 잎
민들레, 벚나무, 쑥, 신갈나무, 토끼풀	강아지풀, 등나무, 목련, 연

★더 알아보기　변형된 잎

- **덩굴손** : 오이나 완두는 작은 잎이 덩굴손으로 변하여 주변의 물체를 휘감으면서 자란다.
- **바늘잎** : 선인장은 잎이 가시로 변하여 수분 증발을 막고 초식 동물로부터 자신을 보호한다.
- **다육잎** : 채송화나 쇠비름은 잎이 두껍게 변하여 그 속에 수분을 저장한다.
- **비늘잎** : 잎이 두꺼운 비늘 모양으로 변하여 추운 겨울을 지낼 때 겨울눈을 싸서 보호한다.
- **큰싸개잎** : 잎이 꽃 모양을 하고 있어서 새나 곤충을 유인해 자손을 퍼트리는 데 도움이 된다.
- **포충잎** : 파리지옥의 잎은 입 모양으로 생겨 곤충을 잡는 데 도움이 된다.

▲ 오이 덩굴손　▲ 선인장 바늘잎　▲ 채송화 다육잎　▲ 목련 비늘잎　▲ 산딸나무 큰싸개잎　▲ 파리지옥 포충잎

개념 더하기

● 잎의 분류 기준

- 잎을 생김새에 따라 분류할 때 잎의 전체적인 모양, 잎의 끝 모양, 잎의 가장자리 모양 등을 기준으로 한다.
- 분류 기준은 어떤 조건에서도 변하지 않아야 한다.

용어 풀이

☑ 톱니
잎의 가장자리가 톱날과 같이 뾰족뾰족한 모양

정답

ⓐ 둥근　ⓑ 길쭉

개념기르기

01 다음 중 학교 주변에서 볼 수 있는 식물을 관찰할 때 주의할 점으로 옳은 것은 어느 것입니까? ( )

① 식물을 꺾거나 채집한다.
② 식물을 뽑아 관찰하기 편한 곳에 심는다.
③ 그림을 그리거나 사진으로 찍어 기록한다.
④ 모르는 식물은 냄새를 맡거나 입에 넣어본다.
⑤ 식물을 발견하면 큰 소리로 주위 사람들에게 알린다.

02 다음 〈보기〉 중 식물의 특징을 관찰하는 방법으로 옳은 것을 모두 고른 것은 어느 것입니까? ( )

> 보기
> ㉠ 식물이 사는 곳을 확인한다.
> ㉡ 꽃의 모양과 색깔을 확인한다.
> ㉢ 잎이 줄기에 붙어 있는 모습을 관찰한다.

① ㉠   ② ㉢
③ ㉠, ㉡   ④ ㉡, ㉢
⑤ ㉠, ㉡, ㉢

03 다음 중 햇빛이 잘 드는 곳에 사는 식물로 옳지 <u>않은</u> 것은 어느 것입니까? ( )

①
▲ 해바라기

②
▲ 강아지풀

③
▲ 이끼

④
▲ 소나무

04 다음 중 물 위에 떠서 사는 식물로 옳지 <u>않은</u> 것은 어느 것입니까? ( )

①
▲ 고사리

②
▲ 물옥잠

③
▲ 자라풀

④
▲ 생이가래

⑤
▲ 개구리밥

05 다음 〈보기〉 중 강아지풀의 생김새 및 특징으로 옳은 것을 모두 고른 것은 어느 것입니까? ( )

> 보기
> ㉠ 마디가 있다.
> ㉡ 산과 들이나 길가에 산다.
> ㉢ 잎이 둥글고 넓적하다.

① ㉠   ② ㉢
③ ㉠, ㉡   ④ ㉡, ㉢
⑤ ㉠, ㉡, ㉢

06 다음과 같이 꽃이 필 때 머리가 땅을 향하여 굽어 있고, 열매가 하얀색 털로 덮여 있는 생김새를 보고 이름 붙여진 식물의 이름으로 옳은 것은 어느 것입니까? ( )

① 무궁화　　　　② 개망초
③ 할미꽃　　　　④ 애기똥풀
⑤ 쥐똥나무

07 다음 중 꽃의 검은 씨를 갈아 하얀색 가루를 만들어 화장을 해서 붙여진 이름의 식물로 옳은 것은 어느 것입니까? ( )

①
▲ 분꽃

②
▲ 괭이밥

③
▲ 인동초

④
▲ 달걀꽃

⑤
▲ 생강나무

08 다음 중 식물의 생김새에 따라 식물의 이름을 붙인 것으로 옳지 <u>않은</u> 것은 어느 것입니까? ( )

① 열매가 쥐의 똥처럼 생겨서 쥐똥나무라 이름 붙여졌다.
② 꽃의 모양이 달걀 프라이 모양과 같아서 달걀꽃이라 이름 붙여졌다.
③ 줄기를 꺾으면 아기의 설사와 같은 즙이 나와서 애기똥풀이라 이름 붙여졌다.
④ 여덟 개의 작은 잎이 손바닥 모양으로 붙어 있어 팔손이라 이름 붙여졌다.
⑤ 열매 끝에 거꾸로 된 가시 모양의 털이 있어 도깨비바늘이라고 이름 붙여졌다.

09 다음 〈보기〉 중 잎을 생김새에 따라 분류할 때 분류 기준으로 옳은 것을 모두 고른 것은 어느 것입니까? ( )

보기
㉠ 무게가 가벼운 잎과 무거운 잎
㉡ 전체 모양이 둥근 잎과 길쭉한 잎
㉢ 잎 끝이 뾰족한 잎과 그렇지 않은 잎
㉣ 잎 가장자리가 톱니 모양인 잎과 그렇지 않은 잎

① ㉠, ㉡　　　　② ㉠, ㉣
③ ㉡, ㉢　　　　④ ㉠, ㉡, ㉣
⑤ ㉡, ㉢, ㉣

10 다음 중 둥근 모양의 잎을 가지는 식물로 옳은 것은 어느 것입니까? ( )

① 쑥　　　　　② 강아지풀
③ 벚나무　　　④ 목련
⑤ 민들레

서술형으로 다지기

손에 잡히는 문제 해결

대나무의 특징을 생각해 봅니다.

▼

대나무가 우리 생활에서
쓰이는 경우를 생각해 봅니다.

▼

나무와 대나무가 바람에 의해
크게 휘어졌을 때를 생각해 봅니다.

01 숲에 태풍이 지나가면 강한 바람으로 많은 나무가 꺾이고 부러지지만, 대나무는 대체로 부러지지 않고 그대로 있습니다. 다른 나무에 비해 대나무가 강한 바람에도 꺾이거나 부러지지 않는 이유를 적어보세요.

손에 잡히는 문제 해결

덩굴식물의 모습을 관찰합니다.

▼

덩굴식물이 다른 물체에 붙어
자랄 때 유리한 점은 무엇인가요?

▼

덩굴식물이 넓게 퍼져 자랄 때
유리한 점은 무엇인가요?

02 다음은 줄기가 위로 자라지 않고 땅을 기어가거나 벽이나 다른 물체에 붙어서 자라는 덩굴식물의 모습입니다. 덩굴식물처럼 다른 물체나 나무에 의지하여 자랄 때 좋은 점을 두 가지 적어보세요.

03 다음은 오이의 덩굴손으로, 포도, 호박, 나팔꽃 등에서도 볼 수 있습니다. 덩굴손은 식물의 가지나 잎이 변하여 된 부분입니다. 덩굴손의 역할을 적어보세요.

🔍 손에 잡히는 문제 해결

덩굴손의 모습을 관찰합니다.

▼

덩굴손의 역할은 무엇인가요?

▼

덩굴손이 다른 식물에 잘 감기면 어떤 점이 유리할까요?

04 다음은 잎의 가장자리에 가시가 나 있는 어떤 식물의 모습입니다. 이 식물의 생김 새를 바탕으로 식물의 이름을 추리하여 적어보고, 이러한 모습의 유리한 점을 적어보세요.

🔍 손에 잡히는 문제 해결

사진 속의 식물의 특징을 관찰합니다.

▼

식물의 생김새와 특징을 연결하여 이름을 지어 봅니다.

▼

식물에 가시가 있을 때 유리한 점은 무엇일까요?

융합사고력 키우기

STEAM

- [✓] **Science**
  - ▶ 식물
- [ ] **Technology**
- [✓] **Engineering**
  - ▶ 벽면 녹화
- [ ] **Art**
- [ ] **Mathmatics**

용어 풀이

☑ **담쟁이덩굴**
포도과의 덩굴식물로, 가지가 많이 갈라져 나와 이웃 나무나 바위에 기대에 길게 뻗어 나가며 자란다.

☑ **열섬현상**
일반적인 다른 지역보다 도심지의 온도가 높게 나타나는 현상

☑ **통풍(통할 通, 바람 風)**
바람이 통함

☑ **석빙고(돌 石, 얼음 氷, 창고 庫)**
얼음을 넣어 두던 창고

☑ **풍혈(바람 風, 구멍 穴)**
여름에 시원한 바람이 불어오는 구멍

더운 여름을 식혀주는 담쟁이덩굴

5월의 반 이상을 고온에 시달리다 보니 올여름은 얼마나 더울지 벌써부터 걱정이다. 열섬현상에 갇힌 서울은 바람이 부는 제주보다 더 덥게 느껴진다. 그러나 때 이른 폭염의 습격에도 안전가옥은 따로 있다. 혜화동의 샘터 사옥, 종로구 원서동의 공간 사옥, 중구 장충동의 경동교회가 그곳이다.

이 건축물들의 공통점은 붉은 벽돌로 된 벽면에 담쟁이덩굴이 빽빽이 뒤덮여 있다. 잎이 넓은 덩굴식물인 담쟁이덩굴은 건물 벽면에 쏟아지는 뙤약볕을 차단해주어 여름에 내부 온도를 2~3 ℃ 이상 낮춰준다. 시원한 여름을 보낼 수 있으니 에너지 절감에도 한 몫 하는 건 당연하다.

실제로 샘터 사옥의 옥상은 통풍이 잘 되는 공간이긴 하지만, 건물 내부가 훨씬 더 시원하다. 공간 사옥도 지하실에 들어선 것 같은 느낌이고, 경동교회 건물은 석빙고나 풍혈처럼 시원하다. 이 모두가 에어컨 없이 담쟁이덩굴로 보는 효과이다. 게다가 담쟁이덩굴로 뒤덮인 건물은 고풍스러운 느낌을 준다. 담장을 아름답고 자연스럽게 장식해 주는 용도로 손색이 없다.

담쟁이덩굴은 건물의 내부 온도를 낮춰주고 담장을 장식하기 위해 도심에 심어지긴 했지만, 원래 야생의 여러 곳에서도 흔히 자란다. 주로 볕이 잘 드는 바위지대에서 잘 자란다.

담쟁이덩굴

▲ 샘터 사옥

▲ 공간 사옥

▲ 경동교회

1 담쟁이덩굴을 도심에 심었을 때의 장점을 적어보세요.

2 일반적으로 덩굴식물은 덩굴손을 내어 다른 물체를 붙잡고 오르는데, 담쟁이덩굴은 덩굴손 끝에 흡착판이 달려 있어서 도심의 건물처럼 매끈한 벽면이나 유리창도 잘 타고 오를 수 있습니다. 담쟁이덩굴은 아무리 큰 나무가 있어도 결국 그 나무의 머리 꼭대기까지 올라갑니다. 담쟁이덩굴이 계속 위쪽으로 자라는 이유를 적어보세요.

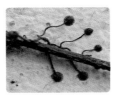

손에 잡히는 STEAM

식물이 살아가기 위해서
무엇이 필요할까요?

▼

식물은 양분을 어떻게 얻을까요?

▼

식물이 나무 밑 그늘에서
자라면 어떻게 될까요?

논술형

3 건물 벽에 담쟁이덩굴을 덮는 방법 외에 식물을 이용하여 여름철에 에너지를 절약할 수 있는 방법을 두 가지 적어보세요.

식물을 이용한
에너지 절약

손에 잡히는 STEAM

여름철에 에너지를 많이
사용하는 이유는 무엇인가요?

▼

식물이 많이 자라는 곳은
어떤 특징이 있나요?

▼

식물을 어디에서 키우면 좋을까요?

02 식물이 사는 곳

개념 더하기

1 들과 산에 사는 식물

1. 들과 숲에 사는 식물

① 들에 사는 식물 : 민들레, 토끼풀, 명아주, 강아지풀 등 주로 ⓐ____이 자란다.

② 산에 사는 식물 : 소나무, 잣나무, 단풍나무, 신갈나무 등 주로 ⓑ_____가 자란다.

2. 풀과 나무 비교하기

구분	풀	나무
공통점	• 잎, 줄기, 뿌리를 가지고 있다. • ⓒ_____을 이용하여 스스로 양분을 만들어 살아간다.	
차이점	• 비교적 키가 작다. • 줄기가 가늘고, 가지 수가 적다. • 한두해살이가 많다. • 꽃, 식용 등으로 이용된다.	• 비교적 키가 크다. • 줄기가 굵고, 가지 수가 많다. • 모두 여러해살이이다. • 열매, 목재 등으로 이용된다.

3. 풀과 나무가 살고 있는 환경

풀이 살고 있는 들의 특징	나무가 살고 있는 산의 특징
• 햇빛이 잘 든다. • 평평한 평야가 많다. • 논이나 밭으로 이용된다.	• 햇빛이 잘 비치는 곳과 그늘진 곳이 있다. • 큰 나무 밑은 그늘져 있다.

4. 풀과 나무가 땅에서 자라는 데 필요한 조건

① 땅속 깊이 ⓓ_____를 내려야 한다.

② ⓔ_____을 잘 받을 수 있도록 잎과 줄기를 발달시켜야 한다.

③ 풀은 키가 작고 줄기가 가늘게 자라기 때문에 비교적 키가 큰 나무가 적어 햇빛을 잘 받을 수 있는 곳에서 잘 자란다.

④ 나무는 줄기가 굵고 키가 크게 자라기 때문에 뿌리를 내릴 수 있는 흙이 있고 햇빛을 잘 받을 수 있는 곳에서 잘 자란다.

● 들과 숲에 사는 식물

▲ 민들레

▲ 토끼풀

▲ 명아주

▲ 강아지풀

▲ 소나무

▲ 잣나무

▲ 단풍나무

▲ 신갈나무

● 꽃이 피지 않는 식물

대부분의 풀과 나무는 꽃이 피고 열매를 맺은 다음 씨를 만들어 번식한다. 그러나 고사리처럼 꽃이 피지 않는 식물도 있다. 꽃이 피지 않는 식물은 포자로 번식한다.

▲ 고사리 포자

정답

ⓐ 풀 ⓑ 나무 ⓒ 햇빛
ⓓ 뿌리 ⓔ 햇빛

2 땅에 사는 작은 식물

1. 이끼가 자랄 수 있는 환경
① 그늘지고 ⓐ_____가 많고 서늘한 곳에서 잘 자란다.
② 커다란 나무 사이나 바위틈, 물가 주변에서 잘 자란다.

2. 솔이끼와 우산이끼 특징

구분	솔이끼	우산이끼
색깔	줄기는 초록색이고, 뿌리는 하얀색이다.	
모양	솔잎 모양	우산 모양
뿌리, 줄기, 잎의 구별	구별된다.	구별되지 않는다.
암그루의 모양	긴 대롱 끝에 ⓑ_____가 있다.	ⓒ____ 우산 모양
수그루의 모양	줄기와 잎만 있다.	뒤집어진 우산 모양

3. 솔이끼와 우산이끼의 공통점과 차이점

공통점	차이점
• 커다란 나무나 바위 틈과 같이 그늘지고 습기가 많은 곳에서 관찰할 수 있다. • 땅 위의 부분은 초록색이고, 땅속에 하얀색 실 모양의 헛뿌리가 있다.	• 생김새가 다르다. • ⓓ____ 이끼는 잎과 줄기가 뚜렷하게 구분되지만, ⓔ_____ 이끼는 줄기와 잎을 구분할 수 없다.

3 연못과 강가에 사는 식물

1. 연못이나 강가의 자연 환경
① 연못물은 고여 있고 강물은 흐른다.
② 깊은 연못이나 강 속에는 빛이 들어오지 않는다.
③ 강가에는 바람이 강하게 불기도 한다.
④ 연못 물 위와 주변에 식물이 많이 자란다.

개념 더하기

● **이끼, 선태식물**
솔이끼와 같이 어느 정도 뿌리, 줄기, 잎의 구별이 가능한 형태를 선류(蘚類), 우산이끼와 같이 뿌리, 줄기, 잎의 구별이 어려운 형태를 태류(苔類)라고 한다. 이 두 가지 형태를 가리켜 선태식물이라고 한다.

● **이끼의 헛뿌리**
헛뿌리는 몸을 지지하는 역할만 하고, 물과 양분은 온몸으로 흡수한다.

헛뿌리

● **이끼의 번식 방법**
이끼는 씨앗이 아닌 포자로 번식한다. 다 자란 이끼에는 포자주머니가 있고, 주머니 속에 눈으로 보기 힘들 정도로 작은 포자가 많이 들어 있다. 포자주머니가 터지면 그 속에 있던 포자가 땅에 떨어지고, 포자는 물을 흡수하여 새로운 이끼로 자란다.

▲ 솔이끼 포자주머니 ▲ 우산이끼 포자주머니

정답
ⓒ 우산모양 ⓓ 솔 ⓔ 우산
ⓐ 습기 ⓑ 포자주머니

02 식물이 사는 곳

2. 부레옥잠 관찰하기

① 부레옥잠 겉모습
- 잎은 둥글고 반짝인다.
- 줄기는 둥근 모양이다.
- 잎자루는 주머니 모양이다.

② 부레옥잠의 속모습
- 가로 : 동그란 ⓐ_____들이 다닥다닥 붙어 있다.
- 세로 : 구멍들이 줄줄이 연결되어 있다.

③ 부레옥잠의 잎자루를 물속에 넣고 눌렀을 때 : 스펀 지처럼 쑥 들어가면서 공기 방울이 생기고, 공기 방울은 물 위로 올라온다.

④ 부레옥잠은 잎자루의 빈 공간에 ⓑ_____를 저장하고 있어 물 위에 떠 있을 수 있다.

▲ 부레옥잠

▲ 가로 단면

▲ 세로 단면

3. 연못이나 강가에 사는 식물의 종류

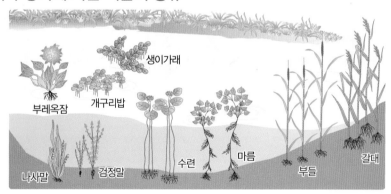

부레옥잠　개구리밥　생이가래　나사말　검정말　수련　마름　부들　갈대

4. 연못이나 강가에 사는 식물의 특징

① 물에 떠서 사는 식물(부유식물) : 몸의 대부분이 잎이고, 수염과 같은 뿌리가 있으며, ⓒ_____ 주머니가 있어 물 위에 뜬다. 예 개구리밥, 생이가래, 부레옥잠 등

② 물속에 잠겨서 사는 식물(침수식물) : 줄기가 약하며 잎이 좁고 긴 것이 많다. 예 검정말, 나사말, 물수세미 등

③ 잎이 물에 떠서 사는 식물(부엽식물) : 뿌리는 물속의 땅 밑에 있고 잎과 꽃은 물 위에 뜬다. 예 수련, 마름, 가래 등

④ 잎이 물 위로 뻗어서 사는 식물(정수식물) : 뿌리는 물속의 젖은 땅에 있으며 키가 크고 줄기가 튼튼하여 ⓓ_____을 잘 이겨낸다. 예 연꽃, 갈대, 부들, 줄, 창포 등

4 사막에 사는 식물

1. 사막의 자연 환경
① 비가 거의 내리지 않으며 매우 ⓐ_____하다.
② 모래가 많으며 모래바람이 불기도 한다.
③ 낮과 밤의 기온 차이가 커서 낮에는 덥고 밤에는 매우 춥다.

2. 사막에 사는 식물
① 사막에 사는 식물의 종류 : 선인장, 바오밥나무, 용설란, 크고 작은 다육식물 등
② 사막에 사는 식물의 특징
- 물을 잘 흡수하기 위해 ⓑ____ 뿌리를 가지고 있다.
- 물의 증발을 막고 동물에게 뜯어 먹히지 않기 위해 작거나 뾰족한 ⓑ____ 을 가지고 있다.
- 물을 저장하기 위해 굵은 ⓓ_____를 가지고 있다.
- 건조한 기간에는 씨앗으로 지내다가 물이 많아지면 싹이 터 다시 씨를 만든다.

③ 선인장 관찰하기

선인장 줄기를 자른 모습	선인장의 특징	선인장이 사막에 살아가는 데 유리한 점
	• 줄기가 두껍다. • 줄기에 수분을 많이 포함하고 있어 자른 부분이 미끄럽고 촉촉하다.	• 줄기에 ⓔ_____ 을 저장하고 있어 건조한 날씨에도 견딜 수 있다. • 잎이 ⓕ_____ 모양으로 변하여 물의 증발을 막을 수 있고, 동물이 함부로 먹지 못하게 한다.

5 식물의 특징을 모방하여 생활 속에서 활용하는 예

연꽃잎	• 특징 : 표면에 일정한 간격으로 돌기가 나 있으며 잔털이 많아 물이 미끄러지듯이 흘러 내린다. • 이용한 예 : 방수복, 방수 신발, 방수 페인트 등
단풍나무 열매	• 특징 : 씨앗에 날개가 비스듬하게 붙어 있어 회전하며 떨어진다. • 이용한 예 : 선풍기나 비행기의 프로펠러 등
도깨비바늘	• 특징 : 갈고리 모양의 뾰족한 가시가 있어 털에 달라붙기 쉽다. • 이용한 예 : 벨크로와 같은 접착식 테이프
덩굴장미	• 특징 : 덩굴을 만들며 자라고, 가시가 많아 사람이나 동물이 접근하기 어렵다. • 이용한 예 : 사람이나 동물의 접근을 막아 주는 둥근 모양의 가시철조망 등

개념 더하기

● 사막에 사는 식물

▲ 선인장

▲ 바오밥나무

▲ 용설란

▲ 다육식물

● 생활 속에서 이용되는 식물

▲ 연꽃잎 표면

▲ 단풍나무 열매

▲ 도깨비바늘

▲ 가시철조망

정답

ⓐ 건조 ⓑ 길고 ⓒ 잎 ⓓ 줄기 ⓔ 수분 ⓕ 가시

개념기르기

01 다음 중 나무에 대한 설명으로 옳지 <u>않은</u> 것은 어느 것입니까? ( )

① 풀에 비해 비교적 키가 크다.
② 줄기가 굵고, 가지 수가 많다.
③ 뿌리, 줄기, 잎을 가지고 있다.
④ 주로 식용으로 많이 이용된다.
⑤ 햇빛을 이용하여 스스로 양분을 만든다.

02 다음 〈보기〉 중 풀과 나무가 땅에서 자라는 데 필요한 조건의 공통점으로 옳은 것을 모두 고른 것은 어느 것입니까? ( )

보기

㉠ 씨앗을 만들어 겨울을 난다.
㉡ 줄기와 잎을 발달시켜 햇빛을 잘 받는다.
㉢ 뿌리가 발달하여 땅에서 물과 영양분을 흡수한다.

① ㉠   ② ㉢
③ ㉠, ㉡   ④ ㉡, ㉢
⑤ ㉠, ㉡, ㉢

03 다음 중 이끼가 잘 자랄 수 있는 환경으로 옳은 것을 <u>모두</u> 고르시오. (,)

① 비가 거의 내리지 않는 사막
② 물이 부족하고 건조한 곳
③ 그늘지고 습기가 많은 곳
④ 커다란 나무 사이나 바위 틈
⑤ 햇빛이 잘 들고 바람이 잘 부는 곳

04 다음 중 솔이끼에 대한 설명으로 옳은 것은 어느 것입니까? ( )

① 줄기와 잎이 구별된다.
② 우산 모양이다.
③ 줄기는 하얀색, 뿌리는 초록색이다.
④ 암그루는 줄기와 잎만 있다.
⑤ 수그루는 긴대롱 끝에 주머니가 있다.

05 다음 중 연못이나 강가의 자연 환경에 대한 설명으로 옳은 것은 어느 것입니까? ( )

① 강물은 고여 있다.
② 연못 물은 흐른다.
③ 강가에는 바람이 거의 불지 않는다.
④ 연못 물 위와 주변에 식물이 많이 자란다.
⑤ 깊은 연못이나 강 속에는 빛이 많이 들어온다.

06 다음 중 부레옥잠을 관찰한 모습으로 옳지 <u>않은</u> 것은 어느 것입니까? ( )

① 줄기가 둥근 모양이다.
② 잎자루가 주머니 모양이다.
③ 둥글고 반짝이는 잎이 있다.
④ 잎자루의 안에는 물이 저장되어 있다.
⑤ 부레옥잠의 잎자루를 물속에 넣고 누르면 공기 방울이 생기고, 공기 방울은 물 위로 올라온다.

07 다음 중 연못이나 강가에 사는 식물의 특징에 대한 설명으로 옳은 것은 어느 것입니까? ( )

① 물에 떠서 사는 식물은 몸의 대부분이 잎이고, 공기주머니가 있다.
② 물속에 잠겨서 사는 식물은 뿌리는 물속에 있고 잎과 꽃은 물 위에 뜬다.
③ 잎이 물에 떠서 사는 식물은 줄기가 약하며 잎이 좁고 길다.
④ 잎이 물 위로 뻗어서 사는 식물은 뿌리는 물속의 젖은 땅에 있으며 키가 작다.
⑤ 개구리밥과 생이가래는 뿌리는 땅 밑에 있고 잎은 물 위에 있다.

08 연못이나 강가에 사는 식물 중에 잎이 물에 뜨는 식물로 옳은 것은 어느 것입니까? ( )

①
▲ 부들

②
▲ 수련

③
▲ 갈대

④
▲ 검정말

⑤
▲ 물수세미

09 다음 〈보기〉 중 사막에 사는 식물의 특징으로 옳은 것을 모두 고른 것은 어느 것입니까? ( )

보기
㉠ 물의 증발을 막기 위해 잎이 얇고 넓다.
㉡ 물을 잘 흡수하기 위해 긴 뿌리를 가지고 있다.
㉢ 물을 저장하기 위해 굵은 줄기를 가지고 있다.

① ㉠   ② ㉢
③ ㉠, ㉡   ④ ㉡, ㉢
⑤ ㉠, ㉡, ㉢

10 다음 식물들의 공통점으로 옳은 것은 어느 것입니까? ( )

▲ 바오밥나무

▲ 용설란

① 키가 매우 크다.
② 높은 산에 산다.
③ 뿌리가 길다.
④ 잎이 두껍고 윤기가 난다.
⑤ 줄기가 가늘다.

11 다음 중 물이 미끄러지듯이 흘러내리는 특징을 방수복이나 방수 페인트 등에 이용한 식물로 옳은 것은 어느 것입니까? ( )

① 단풍나무 열매   ② 연꽃잎
③ 덩굴장미   ④ 은행나무 열매
⑤ 도깨비바늘

손에 잡히는 문제 해결

숲에 갔던 경험을 떠올려 봅니다.

▼

숲과 도시에 있을 때
다른 점은 무엇인가요?

▼

나무가 있는 흙과 나무가
없는 흙은 무엇이 다른가요?

01 다음과 같이 풀과 나무가 어우러져 있는 숲은 다양한 식물들이 살아가는 곳으로 우리에게 많은 이로움을 줍니다. 숲이 우리에게 주는 이로움을 <u>두 가지</u> 적어보세요.

손에 잡히는 문제 해결

잔디나 딸기의 줄기를
당겼을 때의 경험을 생각해 봅니다.

▼

기는줄기를 자세히 관찰합니다.

▼

줄기가 땅에 잘 고정되려면
무엇이 필요할까요?

02 다음과 같이 딸기와 잔디는 줄기가 땅 위를 기어가듯이 뻗어나갑니다. 이와 같이 땅 위를 넓게 뻗어나가는 줄기를 가진 딸기와 잔디는 강한 바람에도 쉽게 뽑히지 않습니다. 그 이유를 적어보세요.

▲ 딸기의 기는 줄기

▲ 잔디의 기는 줄기

03 사막에 사는 선인장은 줄기가 굵고 잎이 뾰족합니다. 이러한 생김새를 가지게 된 이유를 적어보세요.

04 마름이나 수련의 뿌리는 물속에 있지만 꽃과 잎은 물 위에 떠 있습니다. 뿌리와 달리 꽃과 잎이 물 위에 떠 있는 이유를 추리하여 적어보세요.

▲ 마름

▲ 수련

STEAM

✓ **Science**
▶ 식물의 다양성

✓ **Technology**
▶ 약초와 독초

☐ **Engineering**

☐ **Art**

☐ **Mathmatics**

너무나도 닮은 독초와 약초

약초를 먹으면 왠지 몸이 깨끗하게 정화되는 것 같아 건강해지는 기분이 든다. 그래서 사람들은 시골에 가서 도라지, 두릅, 칡, 더덕 등을 직접 캐서 먹기도 한다. 몸에 좋은 약초를 먹는 건 참 좋은 일이지만, 약초와 비슷하게 생긴 독초를 약초로 착각하여 먹는 경우가 있어 문제가 된다.

곰취와 동의나물, 산마늘과 박새, 비비추와 은방울꽃, 원추리와 여로 등이 착각하기 쉬운 식물이다. 곰취는 잎이 부드럽고 가는 털이 있지만, 동의나물은 잎이 두껍고 털이 없으며 광택이 난다. 산마늘은 잎이 2~3장 나지만, 박새는 줄기가 곧게 서 있고 잎이 줄기를 감싸듯 여러 장이 촘촘히 어긋나게 달려 있다.

▲ 식용, 곰취   ▲ 독초, 동의나물   ▲ 식용, 산마늘   ▲ 독초, 박새

일반적으로 독초를 구분할 때는 식물체의 잎이나 줄기를 꺾어 냄새를 맡아보는 것이 좋다. 냄새가 역하다면 일단 독초로 의심하는 것이 좋다. 또한, 벌레가 먹는 식물은 사람이 먹어도 해가 되지 않는다고 볼 수 있으므로, 벌레가 갉아먹은 흔적이 있는지 살펴보는 것도 좋은 방법이다. 특히 소가 먹는 풀이라면 사람도 먹을 수 있다고 알려져 있다.

독초

독초를 잘못 먹었을 경우 나타나는 대표적인 증상은 복통, 구토, 어지럼증, 경련, 호흡곤란 등이다. 이 같은 증상이 나타나면 음식물을 토하고 빨리 응급실에 가야 한다. 병원에 갈 때 먹은 식물을 가져가면 중독 원인과 해독 방법을 찾는 데 도움이 된다.

1 독초와 약초를 구별하는 방법을 <u>두 가지</u> 적어보세요.

용어 풀이

☑ **약초(약 藥, 풀 草)**
약으로 쓰는 풀

☑ **독초(독 毒, 풀 草)**
독이 들어 있는 풀

☑ **경련(경련 痙, 걸릴 攣)**
근육이 별다른 이유 없이 수축하거나 떨게 되는 현상

☑ **자생지(스스로 自, 살 生, 땅 地)**
야생지와 같은 뜻으로 어떤 생물이 사람에 의해 보호나 재배되지 않고 스스로 번식하는 지역

2 식물은 움직일 수 없기 때문에, 독성 물질을 이용해 공격하거나 피해를 주는 천적이나 해충으로부터 자신을 보호합니다. 식물이 자신을 보호하는 또 다른 방법을 <u>세 가지</u> 적어보세요.

논술형

3 백부자는 뿌리에 강한 독이 있으나 한의학에서는 진통제로 사용하는 약재입니다. 백부자는 섬을 제외하고 전국적으로 분포하는 것으로 기록되어 있으나, 현재는 자생지에서도 발견되지 않아 멸종위기야생동식물 2급으로 지정되어 보호하고 있습니다. 예전에는 흔했던 백부자가 멸종위기야생동식물이 된 이유를 추리하여 적어보세요.

귤껍질 염색

우리가 사용하는 물건 중 색깔이 있는 것들은 석유로부터 얻는 합성염료를 이용하여 염색한 것입니다. 합성염료가 탄생하기 전, 우리 조상들은 치자, 쪽, 감, 황토, 봉숭화 꽃, 쑥 등 자연에서 나온 천연재료를 이용하여 염색을 했습니다. 집에서 쉽게 구할 수 있는 귤껍질로 손수건을 염색해 보세요.

준비물

손수건, 고무줄 여러 개, 자갈, 말린 귤껍질, 물, 냄비, 체, 그릇, 소금, 젓가락 또는 주걱

탐구 과정

① 말린 귤껍질 한 컵에 물 열 컵을 넣고 물 색이 노랗게 될 때까지 끓인다.
② 물이 끓는 동안 손수건을 묶어 매듭을 만들거나, 자갈을 고무줄로 묶어 매듭을 만든다.
③ 끓인 귤껍질 물을 체로 걸러 물만 따라 낸다.
④ 체로 거른 물에 손수건을 넣고 10분 정도 더 끓인다. 얼룩이 생기지 않도록 자주 뒤집어 준다.
⑤ 염색된 손수건을 꺼내어 깨끗한 물에 여러 번 헹군다.
⑥ 손수건을 꽉 짠 후 소금물에 5분 동안 담가 둔다. 얼룩이 생기지 않도록 자주 뒤집어 준다.
⑦ 손수건을 꺼내어 깨끗한 물에 여러 번 헹군 후 바람이 잘 통하는 그늘에서 말린다.

귤껍질   손수건   체   손수건   깨끗한 물   소금물   깨끗한 물

주의사항

- 면이나 마(삼베)로 된 흰색 손수건을 사용하면 염색이 잘 된다.
- 손수건에 다양한 매듭을 만들면 다양한 무늬가 만들어진다.
- 진하게 염색하고 싶을 때는 손수건을 귤껍질 우려낸 물에 오래 담가둔다.

1 귤껍질 우려낸 물에 손수건을 넣고 같이 끓이면, 손수건이 어떻게 되는지 적어보세요.

2 손수건에 다양한 무늬가 만들어지는 원리를 설명해보세요.

3 우리 주위에서 염색을 할 수 있는 물질을 찾아 <u>세 가지</u> 적어보세요.

STEAM

4 로마 황제가 입었던 보라색 옷은 보라색을 내는 염료를 가지고 있는 뮤렉스 고동 20만 마리 이상을 희생시켜 만든 것입니다. 옛날에는 색이 있는 옷은 귀족이나 왕만 입을 수 있었습니다. 자연에서 색을 내는 염료를 구하기가 힘들고, 선명한 색을 내기도 힘들었기 때문입니다. 1856년 윌리엄 퍼킨이 석탄에서 합성염료를 발견한 이후, 세상은 다양하고 선명한 컬러로 가득차게 되었습니다. 합성염료가 발전하면서 천연염료는 사라질 위기에 처했지만, 요즘들어 천연염료가 다시 주목받고 있습니다. 천연염료로 염색을 했을 때 좋은 점을 적어보세요.

II 물의 상태 변화

이 단원의 주요 내용

물의 상태 변화와 관련된 조건과 특징을 알아본다. 물을 가열하거나 냉각시켜 상태가 변할 때 무게와 부피 변화를 확인한다. 물이 상태 변화를 하면서 순환하는 과정을 생명 현상이나 기상 현상과 관련지어 알아본다.

⭐ 2015 개정 교육과정 교과서

　　초등 3~4학년 군 :
　　　　4학년 2학기 2단원 물의 상태 변화
　　　　4학년 2학기 5단원 물의 여행

⭐ 다른 학년과의 연계

　　초등 3~4학년 군 : 물질의 상태
　　초등 5~6학년 군 : 식물의 구조와 기능,
　　　　　　　　　　　생물과 환경, 날씨와 우리 생활
　　중학교 1~3학년 군 : 물질의 상태 변화, 식물과 에너지,
　　　　　　　　　　　동물과 에너지, 수권과 해수의 순환

열에 의해 상태가 변하는

03 물과 얼음, 물과 수증기

● **바람이 불면 얼음이 빨리 녹는 이유**

얼음보다 공기의 온도가 높은 여름에 선풍기를 틀면 얼음 주변에 있던 차가운 공기가 다른 곳으로 이동하고, 상대적으로 온도가 높은 공기가 계속 공급되어 얼음이 빨리 녹는다. 반대로 공기의 온도가 낮은 겨울이나 냉동고 안에서는 얼음이 더 꽁꽁 언다.

● **생활 속에서 얼음이 녹는 경우**

• 봄이 되면 계곡의 얼음이 녹는다.
• 냉동실에서 꺼내 놓은 얼음이 녹는다.
• 아이스크림이 녹는다.
• 냉동 고기가 녹는다.
• 생선 가게의 얼음이 녹는다.
• 고드름이 녹는다.

용어 풀이

☑ **열(더울 熱)**
에너지의 한 종류로 물체의 온도를 높이거나 상태를 변화시키는 원인

☑ **온도(따뜻할 溫, 정도 度)**
물체의 뜨겁고 차가운 정도를 숫자로 나타낸 것

 정답

ⓐ 작아 ⓑ 물 ⓒ 많이
ⓓ 열 ⓔ 높아 ⓕ 낮아

1 물의 세 가지 상태

고체	액체	기체
• 일정한 모양과 부피가 있다. • 얼음, 눈 등	• 일정한 모양은 없지만 부피가 있다. • 물	• 일정한 모양과 부피가 없다. • 수증기

2 물과 얼음

1. 얼음이 녹는 까닭

① 얼음을 손바닥 위에 놓고 관찰하기

• 손바닥 위에 얼음을 놓으면 처음에 차갑다.
• 시간이 지나면 얼음의 크기가 ⓐ_____지고 얼음 주위에 ⓑ___이 생긴다.

② 얼음을 그냥 두었을 때와 더운 바람을 쐈을 때 비교하기

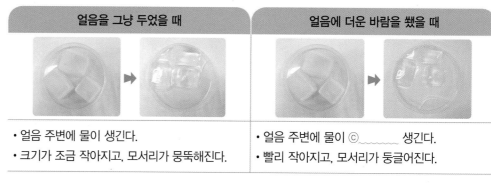

얼음을 그냥 두었을 때	얼음에 더운 바람을 쐈을 때
• 얼음 주변에 물이 생긴다. • 크기가 조금 작아지고, 모서리가 뭉뚝해진다.	• 얼음 주변에 물이 ⓒ_____ 생긴다. • 빨리 작아지고, 모서리가 둥글어진다.

③ 얼음이 녹는 까닭

• 손바닥 위에 올려놓은 얼음이 녹은 까닭 : 손바닥의 ⓓ___ 때문이다.
• 더운 바람을 쐈을 때 얼음이 빨리 녹는 까닭 : 바람이 불고, 더운 바람 때문에 얼음 주위의 온도가 높아졌기 때문이다.

④ 얼음의 온도가 ⓔ_____지면 녹고, 물의 온도가 ⓕ_____지면 언다..

2. 물이 얼 때의 무게와 부피 변화

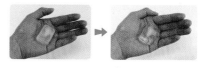 ★탐구　**물이 얼 때의 무게와 부피 변화**

🔎 **탐구 과정**

① 플라스틱 시험관에 물을 반 정도 넣은 다음 물의 높이를 표시하고 두껑을 닫은 후 무게를 측정한다.
② 비커에 잘게 부순 얼음과 소금을 넣고 잘 섞은 다음 물이 든 시험관을 꽂아 얼린다.

③ 물이 완전히 얼면 시험관을 꺼내어 물의 높이와 무게를 비교한다.

물 / 얼음 + 소금 / 얼음

🧪 탐구 결과 및 결론

① 물이 완전히 언 후 얼음의 높이는 얼기 전 물의 높이를 표시한 곳보다 더 ⓐ_____졌다.

② 물이 얼기 전의 무게 : 13.6 g, 물이 완전히 언 후 얼음의 무게 : 13.6 g

③ 물이 얼기 전과 후의 무게가 달라지지 않은 것으로 보아 물이 얼 때 ⓑ_____는 변하지 않는다.

④ 물이 완전히 언 후에 높이가 높아진 것으로 보아 물이 얼 때 부피는 ⓒ_____한다.

3. 얼음이 녹을 때의 무게와 부피 변화

★ 탐구   얼음이 녹을 때의 무게와 부피 변화

🧪 탐구 과정

① 눈금실린더에 물을 반 정도 넣는다.

② 얼음이 물에 가라앉도록 나사를 넣어 얼린 얼음을 물에 넣고 무게와 부피를 측정한다.

③ 얼음이 완전히 녹으면 무게와 부피를 측정하여 비교한다.

나사를 넣어 얼린 얼음 / 얼음이 완전히 녹은 물

🧪 탐구 결과 및 결론

① 얼음이 녹기 전의 무게 : 156.7 g, 얼음이 완전히 녹은 후 무게 : 156.7 g

② 얼음이 녹기 전의 부피 : 59 mL, 얼음이 완전히 녹은 후 부피 : 58 mL

③ 얼음이 녹기 전과 후의 무게가 달라지지 않은 것으로 보아 물이 얼 때 ⓓ_____는 변하지 않는다.

④ 얼음이 완전히 녹았을 때 부피가 작아진 것으로 보아 얼음이 녹을 때 부피는 ⓔ_____한다.

4. 물과 얼음의 상태 변화에 따른 무게와 부피 변화

구분	물이 얼어 얼음이 될 때	얼음이 녹아 물이 될 때
무게	변화없다.	변화없다.
부피	증가한다.	감소한다.

개념 더하기

● **물이 얼 때 부피 변화의 예**
• 물을 넣어 얼린 페트병이 뚱뚱해진다.
• 추운 날씨에 물이 얼어 수도 계량기가 터진다.
• 냉동실에 넣어 둔 물병(유리병)이 깨진다.
• 바위틈에 고인 빗물이 얼고 녹는 것을 반복하여 바위가 갈라진다.

▲ 깨진 수도계량기   ▲ 깨진 유리병

● **얼음이 녹을 때 부피 변화의 예**
• 튜브형 아이스크림이 녹으면 윗부분에 빈 공간이 생긴다.
• 음료수 컵 위로 솟아 오른 얼음이 모두 녹아도 음료수가 흘러넘치지 않는다.

● **물이 얼 때 부피가 늘어나는 이유**
물이 얼음이 될 때 가운데가 빈 규칙적인 모양의 배열을 이루기 때문이다.

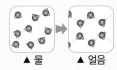

▲ 물   ▲ 얼음

정답
ⓐ 높아 ⓑ 무게 ⓒ 증가
ⓓ 무게 ⓔ 감소

● 물이 수증기로 바뀔 때 무게 변화

물이 수증기가 되면 알갱이 사이의 거리가 매우 멀어져 눈에 보이지 않지만, 우리 주위에 존재한다. 물이 수증기로 상태가 변하여도 알갱이가 없어지지 않으므로 무게는 변하지 않는다.

● 증발과 끓음

• 증발 : 액체 표면에서 액체 상태의 알갱이가 기체 상태로 변하는 현상으로 온도와 상관없이 일어난다. 온도가 높을수록, 표면적이 넓을수록 증발이 잘 일어난다.

• 끓음 : 물의 온도를 높여 끓는점에 도달하면 액체 표면과 내부에서 강렬하게 기체로 변하는 현상으로, 끓음이 일어날 때에도 증발은 계속 일어난다.

▲ 증발   ▲ 끓음

용어 풀이

✓ 증발(데울 蒸, 일어날 發)
물이 끓지 않고 서서히 표면에서 수증기로 상태 변화하는 현상

정답

---

3 물과 수증기

1. 물의 증발

① 물의 증발 관찰하기

비닐 랩을 덮은 비커	비닐 랩을 덮지 않은 비커

• 비커의 벽면과 위쪽의 비닐 랩에 ⓐ_____이 맺혀 있다. • 물의 높이가 변하지 않는다.	• 비커 벽면과 위쪽에 물방울이 맺혀 있지 않다. • 물의 높이가 ⓑ_____진다. • 물이 ⓒ_____하여 공기 중으로 날아갔다.

② 생활 속에서 증발의 예

• 젖은 빨래가 마른다.
• 수족관의 물이 줄어든다.
• 젖었던 길이 마른다.
• 가뭄에 논바닥이 갈라진다.
• 곡식을 말린다.
• 땀이 마른다.
• 헤어드라이어로 머리를 말린다.

2. 물의 끓음

★탐구   물이 끓을 때의 변화 관찰하기

🧪 탐구 과정

① 삼각 플라스크에 물을 $\frac{1}{3}$ 정도 넣고 물의 높이를 표시한다.
② 물을 가열하면서 삼각플라스트의 안쪽의 변화를 관찰한다.
③ 삼각 플라스크 안의 물이 끓을 때 입구에 유리판을 대어 본다.
④ 물이 끓은 다음 물의 높이를 관찰한다.

유리판
물

탐구 결과 및 결론

① 물이 끓을 때 물의 표면 위쪽, 표면, 내부에서 일어나는 변화

물의 표면 위쪽	하얀색의 김이 올라와 사라진다.
물의 표면	공기 방울이 올라와 터지고, 물 표면이 부글거린다.
물의 내부	아지랑이 같은 것이 보이고, 공기 방울이 생겨 위로 올라간다.

② 물이 활발하게 끓을 때 유리판을 대어 보면 유리판에 ⓐ＿＿＿＿＿이 맺힌다.

③ 물이 끓을 때 물의 표면과 내부에서 물이 ⓑ＿＿＿＿로 변하여 공기 중으로 날아가기 때문에 물의 높이가 낮아진다.

3. 수증기의 응결

① 수증기를 물로 만들기

★탐구 수증기를 물로 만들기

탐구 과정

① 플라스틱 컵에 주스와 얼음을 넣어 작은 은박 접시 위에 놓고 전자저울로 무게를 잰다.

② 컵 표면에서 일어나는 변화를 관찰한다.

③ 시간이 지난 후 무게를 재어 본다.

 주스 +얼음

탐구 결과 및 결론

① 플라스틱 컵 표면에 물방울이 생기고, 무게가 ⓒ＿＿＿＿한다.

② 플라스틱 컵 표면에 생긴 액체는 맛도 없고 색깔도 없다.

③ 공기 중의 수증기가 컵 표면에서 물로 ⓓ＿＿＿＿하여 플라스틱 컵에 붙는다.

② ⓔ＿＿＿＿ : 밤 동안 공기의 온도가 낮아져 수증기가 응결하여 물체의 표면에 맺힌 것으로, 햇빛이 비치면 다시 수증기로 변하여 공기 중으로 날아간다.

③ 생활 속의 응결의 예

- 냄비 뚜껑에 물이 생긴다.
- 바닷물이 증발하여 구름이 된다.
- 공기 중으로 증발하였던 물이 다시 이슬이 되어 맺힌다.
- 욕실의 거울이나 겨울철 창문에 물방울이 맺힌다.

● **수증기와 김**

- 수증기 : 냄새도 없고 색깔도 없어 눈에 보이지 않는다.
- 김 : 수증기가 냉각되어 작은 물방울로 변한 것이다.
- 주전자에 물을 넣고 끓일 때 주전자의 입구 부분과 김이 생기는 부분 사이에 아무것도 보이지 않는 약간의 틈이 있다. 여기에 수증기가 존재한다.

김
수증기

용어 풀이

☑ **응결(엉길 凝, 모일 結)**
공기 중의 수증기가 냉각되어 물방울이 만들어지는 현상

☑ **이슬**
공기 중의 수증기가 기온이 내려가거나 찬 물체에 부딪힐 때 생기는 물방울

 정답

ⓐ 물방울 ⓑ 수증기
ⓒ 증가 ⓓ 응결 ⓔ 이슬

01 다음 중 얼음을 손바닥 위에 놓고 관찰할 때에 대한 설명으로 옳은 것은 어느 것입니까? (   )

① 손바닥의 온도는 계속 높아진다.
② 손바닥이 얼음의 열을 빼앗는다.
③ 시간이 지날수록 얼음 주위에 물이 생긴다.
④ 시간이 지나도 얼음의 크기는 변하지 않는다.
⑤ 손바닥 위에 얼음을 놓으면 시간이 지날수록 점점 차가워진다.

02 다음 〈보기〉 중 얼음을 그냥 두었을 때와 더운 바람을 쐈을 때를 비교한 것입니다. 이에 대한 설명으로 옳은 것을 모두 고른 것은 어느 것입니까? (   )

보기

㉠ 더운 바람을 쐈을 때가 얼음을 그냥 두었을 때보다 물이 덜 생긴다.
㉡ 얼음을 그냥 두었을 때가 더운 바람을 쐈을 때보다 얼음이 천천히 녹는다.
㉢ 더운 바람을 쐈을 때가 얼음을 그냥 두었을 때보다 더 빨리 작아진다.
㉣ 더운 바람이 얼음 주위의 온도를 높이기 때문에 더운 바람을 쐈을 때 얼음이 더 빨리 녹는다.

① ㉡, ㉣   ② ㉠, ㉡, ㉢
③ ㉠, ㉡, ㉣   ④ ㉠, ㉢, ㉣
⑤ ㉡, ㉢, ㉣

03 다음은 물이 얼 때의 무게와 부피 변화를 알아보는 실험입니다. 이에 대한 설명으로 옳은 것을 모두 고르시오. (,   )

① 물이 얼고 나면 무게가 약간 증가한다.
② 물이 얼기 전과 후의 무게는 변하지 않는다.
③ 물이 얼기 전과 후의 물의 높이는 변하지 않는다.
④ 얼기 전에 표시한 물의 높이보다 물이 얼고 난 후 물의 높이가 높아진다.
⑤ 얼기 전에 표시한 물의 높이보다 물이 얼고 난 후 물의 높이가 낮아진다.

04 다음 중 물이 얼 때 부피 변화에 대한 설명으로 옳지 않은 것은 어느 것입니까? (   )

① 추운 겨울에 수도 계량기가 얼어 터진다.
② 물을 넣어 얼린 페트병이 뚱뚱해진다.
③ 겨울에 강물이 얼면 썰매나 스케이트를 탈 수 있다.
④ 물병을 가득 채워서 냉동실에 얼리면 물병이 깨진다.
⑤ 바위 틈에서 얼음이 녹고 어는 것을 반복하면 바위가 갈라진다.

05 다음 중 얼음이 녹을 때 값이 감소하는 것은 어느 것입니까? (   )

① 질량   ② 무게
③ 부피   ④ 온도
⑤ 색깔

06 다음 〈보기〉 중 비닐 랩을 덮은 비커와 비닐 랩을 덮지 않은 비커에서 물이 증발하는 것에 대한 설명으로 옳은 것을 모두 고른 것은 어느 것입니까?　(　)

보기

㉠ 비닐 랩을 덮은 비커의 물의 높이는 변하지 않는다.

㉡ 비닐 랩을 덮지 않은 비커의 벽면에 물방울이 맺혀 있다.

㉢ 비닐 랩을 덮지 않은 비커의 물의 높이는 변하지 않는다.

① ㉠　　　　　　② ㉢

③ ㉠, ㉡　　　　④ ㉡, ㉢

⑤ ㉠, ㉡, ㉢

07 다음 중 생활 속에서 일어나는 증발의 예로 옳지 <u>않은</u> 것은 어느 것입니까?　(　)

① 땀이 마른다.

② 물이 끓는다.

③ 빨래가 마른다.

④ 수족관의 물이 줄어든다.

⑤ 헤어드라이어로 머리를 말린다.

08 밤에 공기의 온도가 낮아지면 공기 중의 수증기가 차가운 물체에 닿아 물방울로 변합니다. 이 현상으로 옳은 것은 어느 것입니까?　(　)

① 증발　　　　　② 끓음

③ 확산　　　　　④ 이슬

⑤ 응집

09 다음 중 ㉠과 ㉡에 대한 설명으로 옳은 것은 어느 것입니까?　(　)

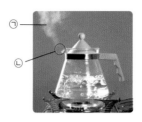

① ㉠은 눈에 보이지 않는다.

② ㉠은 액체 상태의 물이다.

③ ㉡은 눈에 보인다.

④ ㉡은 액체 상태의 물이다.

⑤ ㉠은 ㉡이 끓어서 변한 것이다.

10 다음과 같이 얼음이 든 물컵의 표면에 생기는 물방울에 대한 설명으로 옳은 것을 <u>모두</u> 고르시오.
　(　 , 　)

① 고체 상태의 물질이다.

② 얼음이 녹은 물이 맺힌 것이다.

③ 공기 중의 수증기가 물방울로 변해 맺힌 것이다.

④ 컵 안에 있는 물이 컵 표면으로 나온 것이다.

⑤ 일정한 모양이 없고 흐르는 성질을 갖는다.

01 그릇에 담긴 아이스크림을 냉장고에서 꺼낸 다음 가만히 두었더니 모두 녹아 액체가 되었습니다. 녹은 아이스크림을 냉장고에 넣고 얼렸더니 녹기 전의 양보다 더 줄었습니다. 녹은 아이스크림을 다시 얼렸을 때 양이 적어진 이유를 적어보세요.

손에 잡히는 문제 해결

아이스크림을 먹었을 때의 느낌을 생각해 봅니다.

▼

녹은 아이스크림을 다시 얼려서 먹었을 때의 느낌을 생각해 봅니다.

▼

눈에 보이지 않지만 아이스크림의 빈 공간을 채우고 있는 물질은 무엇일까요?

02 욕실에서 뜨거운 물로 샤워를 하면 거울에 김이 서리는 것을 볼 수 있습니다. 이것은 공기 중의 수증기가 차가운 거울 표면에 붙어 작은 물방울이 되기 때문입니다. 욕실의 거울에 김이 서리지 않게 하기 위해 비눗물을 바르기도 합니다. 비눗물을 바르면 김이 잘 서리지 않는 이유를 적어보세요.

손에 잡히는 문제 해결

욕실 거울에 김이 생기는 이유는 무엇인가요?

▼

김이 생겼을 때 물체가 잘 보이지 않는 이유는 무엇인가요?

▼

비눗물을 발랐을 때 김이 잘 서리지 않는 것은 거울 표면에 무엇이 만들어지지 않았기 때문인가요?

03 소금을 섞은 얼음이 든 비커의 가운데에 아이스크림 재료를 넣은 시험관을 꽂고 기다리면 아이스크림이 만들어집니다. 얼음에 소금을 뿌리는 이유를 적어보세요.

얼음
+
소금

손에 잡히는 문제 해결

얼음 주변이 시원한
이유는 무엇인가요?

▼

얼음에 소금을 넣으면
얼음은 어떻게 될까요?

▼

소금이 물에 녹을 때
주변의 열을 어떻게 할까요?

04 추운 겨울에 밖에서 물로 세차를 하면 온도가 낮아 세차한 물이 금방 얼게 됩니다. 겨울에 차를 세차할 때 뜨거운 물, 차가운 물, 미지근한 물 중 어느 물을 사용해야 물이 잘 얼지 않을지 이유와 함께 적어보세요.

물과 온도

손에 잡히는 문제 해결

차가운 물과 뜨거운 물 중 증발
속도가 빠른 것은 무엇인가요?

▼

물이 증발할 때 주위
온도는 어떻게 되나요?

▼

물이 매우 차가워지면 어떻게 되나요?

STEAM

☑ Science
  ▶ 물의 상태 변화

☑ Technology
  ▶ 증발

☑ Engineering
  ▶ 솔라볼

☐ Art

☐ Mathmatics

오염 지역 물을 식수로 바꾸는 해결책

오염된 식수로 인해 발생하는 질병 때문에 해마다 2백만 명 이상의 어린이들이 죽어가고 있다. 급속한 도시화와 인구 증가로 인해 개발도상국가나 저개발 국가의 식수 문제가 점점 더 심각해지고 있다.

얼마 전 태양 광선과 자연 증발을 이용하여 비교적 깨끗한 식수를 간단하게 만들 수 있는 도구가 개발되어 세계인들의 이목이 집중된 적이 있다. 바로 '솔라볼(solarball)'이라는 제품이다.

솔라볼은 태양 에너지는 넘쳐나지만 가뭄이나 재난 등으로 깨끗한 식수를 구하기 힘든 지역의 사람들에게 마실 수 있는 물을 공급하기 위해 고안된 제품으로, 원리는 무척 간단하다.

오염되거나 지저분한 물을 솔라볼에 부은 후 태양 광선 아래 두면 증발 현상이 일어나고, 증발을 통해 오염된 물과 깨끗한 물이 자동으로 분리된다. 즉, 증발된 수증기가 솔라볼 위쪽에 설치된 바깥쪽 저장고로 모여들어 고이면 이 물을 모아 식수로 사용한다.

솔라볼은 주변에서 오염되지 않은 식수를 구하는 데 어려움을 겪는 저개발 국가 주민들에게 손쉬운 해결책을 제시하고 있다. 현재 솔라볼을 이용해 매일 최대 3리터의 식수를 얻을 수 있다고 한다. 하지만, 이 솔라볼로 만든 물도 식수로서 완벽한 상태는 아니라는 것이 대다수 전문가들의 의견이다.

솔라볼

1 솔라볼에 넣은 오염된 물이 깨끗한 물로 변하는 과정에서 일어나는 물의 상태 변화를 순서대로 쓰세요.

용어 풀이

☑ 개발도상국가
  일반적으로 산업의 근대화와 경제개발이 뒤떨어져 있는 나라

☑ 고안(생각할 考, 계획 案)
  연구하여 새로운 방법을 생각해 냄

☑ 식수(먹을 食, 물 水)
  먹을 용도의 물

2 솔라볼은 오염된 물을 간단한 원리로 마실 수 있는 물인 식수로 만듭니다. 그러나 솔라볼로 만든 물은 식수로서 완벽한 상태가 아니라는 것이 대다수 전문가들의 의견이라고 합니다. 그 이유를 추리하여 적어보세요.

🔍 손에잡히는 STEAM

솔라볼에서 오염된 물이
어떻게 깨끗한 물이 되나요?

▼

식수에서 중요한 부분은 무엇일까요?

▼

솔라볼로 만든 물은 왜
완벽히 깨끗한 상태가 아닐까요?

3 논술형
오염된 물을 완벽한 상태의 식수로 얻으려면 어떻게 해야 할까요? 솔라볼을 개선하거나 새로운 장치를 고안하여 보세요.

🔍 손에잡히는 STEAM

솔라볼의 단점은 무엇인가요?

▼

단점을 보완할 수 있는
방법으로는 무엇이 있을까요?

▼

과학적으로 가능한
방법은 무엇인가요?

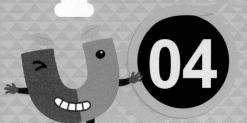

04 물의 여행

개념 더하기

● 물의 자정 작용
물이 순환하는 동안 물을 오염
시키는 물질들은 물속에 사는
미생물들의 먹이가 되거나, 스
스로 분해하여 자연적으로 물이
깨끗해지는데 이를 물의 자정
작용이라 한다. 그러나 물의 자정
작용에는 한계가 있으므로 오염
물질이 계속해서 들어오면 스스로
정화할 수 없다.

용어 풀이

☑ 순환(돌아다닐 循, 고리 環)
주기적으로 되풀이하여 돎

☑ 증발(데울 蒸, 일어날 發)
물이 끓지 않고 서서히 표면에서
수증기로 상태 변화하는 현상

☑ 증산(데울 蒸, 흩어질 散)
식물체 안의 수분이 수증기가
되어 공기 중으로 나오는 현상

☑ 강수(내릴 降, 물 水)
비, 눈, 우박 등으로 땅에 내린
물

☑ 응결(엉길 凝, 모일 結)
수증기가 물방울로 변함

정답
ⓖ 일정
ⓓ 강수 ⓔ 물 ⓕ 물
ⓐ 태양 ⓑ 증발 ⓒ 응결

1 물의 순환

1. 물의 순환 : 물이 ⓐ_____ 에너지에 의해 고체, 액체, 기체로 상태 변화 하면서 땅,
바다, 대기 중으로 끊임없이 이동하는 현상

2. 물의 순환 과정

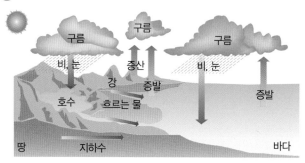

① ⓑ_____ : 땅, 호수나 강, 바다 등의 물이 증발하여 하늘로 올라간다.
② 증산 : 식물이 잎으로 물을 수증기 형태로 내보낸다.
③ ⓒ_____ : 하늘 높이 올라간 수증기는 온도가 내려가면 응결하여 구름이 된다.
④ ⓓ_____ : 구름 속의 작은 물방울들이 모여 비나 눈이 되어 다시 땅으로 떨어진다.
⑤ 지하수, 강 : 땅으로 떨어진 물은 땅속으로 스며들기도 하고, 호수나 강을 이루어 바다로
흘러가기도 한다.

★탐구   물의 순환 과정

탐구 과정
① 플라스틱 컵에 조각 얼음을 5개를 넣은 후 지퍼백에 넣고 닫는다.
② 전자저울로 무게를 잰다.
③ 창가에 두고 3일 정도 변화를 관찰한 후 무게를 잰다.

탐구 결과 및 결론
① 플라스틱 컵 안의 얼음은 ⓔ_____로 바뀌었다.
② 시간이 지나면 플라스틱 컵 안의 물이 줄어들고 지퍼백에 ⓕ_____이 생긴다.
③ 얼음이 물로, 물이 수증기로, 수증기가 물로 변하여도 무게는 ⓖ_____하다.

3. 물의 순환의 특징

① 물은 증발, 증산, 응결, 강수 과정을 거치며 모습과 상태가 변하면서 이동한다.

- ⓐ_____(기체) : 땅, 강, 호수, 바다 등에서 물이 증발하거나 식물의 증산에 의해 만들어진다.
- ⓑ_____(액체) : 수증기가 응결하여 만들어진다.
- 비(액체), 눈(고체) : 구름 속의 작은 물방울들이 모여서 무거워져 떨어진다.
- 흐르는 물(액체) : 땅으로 떨어진 비나 눈이 모여서 만들어진다.

② 물의 순환으로 지구에 있는 전체 물의 양은 일정하다.

4. 물의 순환에 의해 나타나는 현상

① ⓒ_____ 변화

- 물이 증발하여 하늘로 올라가면 구름이 되고 비나 눈이 되어 내린다.
- 물이 증발하여 공기 중에서 온도가 낮아지면 안개가 끼거나, 이슬이 맺히거나, 서리가 내린다.

▲ 구름　　▲ 비　　▲ 눈　　▲ 안개　　▲ 이슬　　▲ 서리

② ⓓ_____ 변화

- 흐르는 물이 바위를 깎아 절벽을 만든다.
- 흐르는 물이 흙을 깎거나 운반하여 다른 곳에 쌓아 강의 모양을 변하게 한다.
- 흐르는 물에 의해 모래가 운반되어 바닷가에 넓은 모래사장을 만들기도 한다.

5. 우리 주변에서 물의 순환 알아보기

① 가정에서 사용하는 물 : 강이나 호수의 물을 정화하여 상수도를 통해 각 가정으로 보낸다.

② 가정에서 사용한 물 : 하수도를 통해 오폐수 처리장으로 가서 정화된 후 강이나 바다로 흘러간다.

③ 강이나 호수의 물 : 바다, 강, 호수에서 증발한 수증기와 식물에서 증산한 수증기가 비나 눈이 되어 땅으로 떨어져 강이나 호수로 흘러온다.

개념 더하기

● 지구에 있는 물의 양이 일정한 이유

지구 전체적으로 볼 때 땅에서 공기 중으로 이동하는 증발과 증산량이 공기 중에서 땅으로 이동하는 강수량과 거의 일치하기 때문이다.

용어 풀이

☑ 정화(깨끗할 淨, 될 化)
더러운 것을 깨끗하게 함

☑ 오폐수(더러울 汚, 버릴 廢, 물 水)
더러워지고 오염된 물

정답

ⓓ 지형

ⓐ 수증기　ⓑ 구름　ⓒ 날씨

04 물의 여행

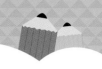

● 식물과 동물에서 물의 역할

- 물은 동식물의 몸을 구성한다.
- 물은 식물의 뿌리에서 흡수되어 줄기를 통하여 잎으로 이동하면서 식물에 필요한 물과 양분을 공급한다.
- 물은 동물이나 사람의 몸속에서 영양분과 산소를 각 세포로 전달하고, 소화와 배설을 도와 호흡과 순환, 체온 조절과 같은 물질대사가 이루어질 수 있도록 한다.

● 사람이 바닷물을 마셨을 때 나타나는 현상

사람의 몸에는 혈액 안에 약 0.9 %의 염분이 있다. 염분이 이보다 높아지면 물을 많이 마셔서 농도를 낮추고, 낮아지면 더 섭취하도록 만들어서 균형을 맞춘다. 만약 염분이 3.5 %가 넘는 바닷물을 마시게 되면 우리 몸은 염분 농도를 낮추기 위해 물과 함께 염분을 배출한다. 따라서 바닷물을 마시면 마실수록 오히려 우리 몸에서 물이 빠져나가게 되므로 탈수 증상이 나타나고, 심해지면 사망할 수 있다.

2 소중한 물

1. 우리가 사용할 수 있는 물

① 물의 분포

- 지구 표면의 약 70 %는 물로 덮여 있다.
- 97 %는 ⓐ_____이고, 나머지 3 %는 육지의 물이다.

▲ 지구상의 물 분포

대기 0.001 %
바다 97.2 %
육지 2.8 %
빙하 2.15 %
강과 호수 0.03 %
지하수 0.62 %

② 민물과 바닷물

- ⓑ_____ : 강과 호수의 물, 눈과 얼음, 지하수 등 소금기가 없는 물이다.
- 바닷물 : 지구 표면의 70 %를 덮고 있는 물로, 소금이 많이 함유되어 있어 일상생활에서 사용할 수 없다.

③ 우리가 사용할 수 있는 물의 양 : 강과 호수의 물과 지하수를 사용할 수 있으며, 지구 전체 물의 1 %도 되지 않는 아주 적은 양이다.

2. 물이 소중한 까닭

ⓒ_____ 유지	• 식물이나 동물의 몸속에 있는 물이 순환하면서 물과 양분을 전달하여 생명을 유지한다. • 식물에 물을 주지 않으면 생명을 유지할 수 없다. • 동물이나 사람이 물을 마시지 않으면 생명을 유지할 수 없다.	
ⓓ_____ 용수	• 식수를 비롯하여 빨래, 목욕, 설거지 등에 사용된다. • 학교, 회사, 공원, 수영장 등에서 사용한다.	
ⓔ_____ 용수	• 논밭에서 농작물을 키우는 데 이용한다. • 인구가 증가하여 많은 식량을 생산하기 위해 물이 많이 사용된다. • 전 세계 민물의 60 % 이상이 농작물을 키우는 데 사용된다.	
ⓕ_____ 용수	• 종이, 사탕, 플라스틱 음료수 병, 자동차 등 거의 모든 제품을 만들 때 반드시 물이 필요하다. • 기계를 씻고 냉각시키는 데 이용된다.	
ⓖ_____ 생산	• 높은 곳에 댐을 만들어 물을 가둔 후 물을 떨어뜨려 전기를 만든다.	

3 물 부족 현상

1. 우리나라 물 부족 현상의 원인

① 비가 ⓐ_____ 에 집중적으로 내리고, 다른 계절에는 적게 내린다.

② 너무 더워서 물이 빨리 ⓑ_____ 한다.

③ 인구가 증가하고 생활 수준이 향상되면서 물 이용량이 ⓒ_____ 났다.

④ 물을 아껴 쓰지 않는다.

⑤ 공장을 많이 지으면서 이용할 수 있는 깨끗한 물이 줄어들었다.

2. 물 부족 현상의 해결 방법

물 절약	• 컵에 물을 받아서 양치질을 한다. • 세면대에 물을 받아서 세수한다. • 싱크대에 물을 받아서 설거지를 한다. • 식용유나 기름을 하수구에 버리지 않는다. • 빨래를 모아서 세탁기를 돌린다. • 적절한 수위로 세탁기를 사용한다. • 페트병에 물을 채워 양변기에 넣는다. • 한 번 사용한 물을 재사용한다.	
오염 방지	• 오염 물질이 하천이나 강으로 흘러드는 것을 막는다. • 정화 시설을 설치한다. • 음식물 쓰레기를 하수구에 직접 버리지 않는다. • 공장이나 산업 시설에서 독성 물질의 사용을 최소화한다. • 가축의 배설물이 하천이나 강으로 흘러드는 것을 막는다. • 선박의 원유 유출이나 유조선 충돌 및 침몰 사고가 일어나지 않도록 한다.	
깨끗한 물 확보	• 댐, 저수지, 보를 건설하여 물을 저장한다. • 모아 놓은 물이 오염되지 않도록 관리한다. • 빗물을 모아 활용한다. • 바닷물을 민물로 바꾼다.	

3. 물을 절약해야 하는 이유

① 지구상의 물 중에서 우리가 사용할 수 있는 물의 양은 매우 ⓓ_____ 때문이다.

② 지구상의 물은 계속 순환하지만, 이용할 수 있는 물의 양은 ⓔ_____ 들고 있기 때문이다.

③ 이용한 물을 다시 이용할 수 있을 때까지 시간이 ⓕ_____ 걸리기 때문이다.

01 다음 중 물의 순환에 대한 설명으로 옳지 <u>않은</u> 것은 어느 것입니까? ( )

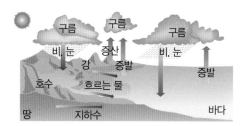

① 바닷물이 햇빛을 받으면 수증기로 변한다.
② 호수나 강의 물이 증발하여 하늘로 올라간다.
③ 하늘 높이 올라간 수증기는 온도가 높아져 응결하여 구름이 된다.
④ 구름은 비나 눈이 되어 다시 땅으로 떨어진다.
⑤ 땅에 내린 비나 눈은 지하수나 강을 이룬다.

02 다음 중 물의 순환 과정에 대한 설명으로 옳은 것을 모두 고른 것은 어느 것입니까? ( )

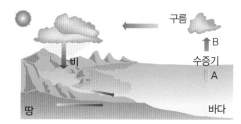

보기
㉠ 물은 상태가 변하면서 순환한다.
㉡ A는 응결, B는 증발 과정이다.
㉢ 물은 순환하면서 바위를 깎거나 흙을 운반하여 지형을 변화시킨다.
㉣ 순환하는 물은 구름이나 비 등의 날씨 변화를 일으킨다.

① ㉠, ㉡   ② ㉠, ㉣
③ ㉡, ㉢   ④ ㉠, ㉢, ㉣
⑤ ㉡, ㉢, ㉣

03 다음은 물의 순환 과정을 알아보는 실험 과정입니다. 실험 결과로 옳지 <u>않은</u> 것은 어느 것입니까?( )

실험 과정
㉠ 플라스틱 컵에 조각 얼음을 5개를 넣은 후 지퍼백에 넣고 닫는다.
㉡ 전자저울로 무게를 잰다. – 128 g
㉢ 창가에 두고 3일 정도 변화를 관찰한 후 무게를 잰다.

① 플라스틱 컵 안의 얼음은 녹아서 물이 된다.
② 시간이 지나면 플라스틱 컵 안의 물의 양이 줄어든다.
③ 시간이 지나면 지퍼백 표면에 물방울이 맺힌다.
④ 얼음은 물로, 물은 수증기로, 수증기는 다시 물로 상태 변화하면서 지퍼백 안에서 순환한다.
⑤ 플라스틱 컵의 얼음이 사라졌으므로 3일 후 지퍼백의 무게는 128 g보다 작아진다.

04 다음 중 물의 순환의 특징에 대한 설명으로 옳지 <u>않은</u> 것을 <u>모두</u> 고르시오. (,)

① 강이나 호수의 물이 증발하면 기체 상태인 수증기가 된다.
② 식물이 증산 작용을 통해 식물체 안의 물을 액체 상태로 내뿜는다.
③ 하늘 높은 곳에서 수증기가 응결하면 기체 상태인 구름이 된다.
④ 구름 속의 작은 물방울들이 모여서 무거워지면 액체 상태인 비나 고체 상태인 눈으로 떨어진다.
⑤ 물의 순환으로 지구에 있는 전체 물의 양은 일정하다.

05 다음 중 물을 순환시키는 에너지의 근원은 무엇입니까? ( )

① 태양 에너지
② 지구 에너지
③ 전기 에너지
④ 화학 에너지
⑤ 운동 에너지

06 다음 중 지구상에 존재하는 물에 대한 설명으로 옳은 것을 <u>모두</u> 고르시오. (,)

① 지구상에 존재하는 물 중 가장 많은 물은 육지의 물이다.
② 우리가 일상생활에서 사용할 수 있는 물은 소금기가 없는 민물이다.
③ 지구는 표면의 70 %가 물로 덮여 있으므로 일상생활에서 사용할 수 있는 물은 아주 풍부하다.
④ 사람은 육지에서는 육지의 물을 마시고, 바다에서는 바닷물을 마시며 생명을 유지한다.
⑤ 우리가 일상생활에서 사용할 수 있는 물은 강과 호수의 물과 지하수로, 지구 전체 물의 아주 적은 양이다.

07 신유형 다음 중 물이 소중한 이유에 대한 설명으로 옳지 <u>않은</u> 것은 어느 것입니까? ( )

① 식물이나 동물의 몸속에서 순환하면서 생명을 유지하기 때문이다.
② 식수, 빨래, 목욕 등 공업용수로 이용되기 때문이다.
③ 농작물을 키우는 데 이용되기 때문이다.
④ 종이, 플라스틱 병, 자동차 등 제품을 만드는 데 이용되기 때문이다.
⑤ 높은 곳에 물을 가둔 후 떨어뜨리면 전기를 만들 수 있기 때문이다.

08 우리나라가 물이 부족한 이유로 옳지 <u>않은</u> 것은 어느 것입니까? ( )

① 비가 내리지 않기 때문이다.
② 인구가 증가하였기 때문이다.
③ 물을 아껴쓰지 않기 때문이다.
④ 공장을 많이 지으면서 이용할 수 있는 깨끗한 물이 줄어들었기 때문이다.
⑤ 생활 수준이 향상되면서 물 이용량이 늘어났기 때문이다.

09 다음 중 물을 절약하는 방법으로 옳지 <u>않은</u> 것은 어느 것입니까? ( )

① 식용유나 기름을 하수구에 버리지 않는다.
② 컵에 물을 받아서 양치질한다.
③ 물을 틀어 놓고 세수한다.
④ 페트병에 물을 채워 양변기에 넣어서 사용한다.
⑤ 싱크대에 물을 받아서 설거지한다.

10 다음 중 물을 절약해야 하는 이유로 옳은 것을 모두 고른 것은 어느 것입니까? ( )

보기
㉠ 지구상의 물 중에서 우리가 사용할 수 있는 물의 양은 매우 적기 때문이다.
㉡ 지구상의 물은 계속 순환하지만 이용할 수 있는 물의 양은 줄어들고 있기 때문이다.
㉢ 이용한 물을 다시 이용할 수 있을 때까지 시간이 오래 걸리기 때문이다.

① ㉠
② ㉠, ㉡
③ ㉠, ㉢
④ ㉡, ㉢
⑤ ㉠, ㉡, ㉢

손에 잡히는 문제 해결

우리가 세수하면서 사용한
물은 어디로 갈까요?

▼

구름을 이루는 물방울은
어디에서 왔나요?

▼

비를 만드는 물방울은
어디에서 왔나요?

01 우리는 매일 세수하고 밥을 짓고 물을 마시는 등 하루에도 많은 양의 물을 사용합니다. 우리가 몇 번을 사용해도 지구 전체의 물이 줄어들지 않는 이유를 적어보세요.

손에 잡히는 문제 해결

사막은 어떤 환경인가요?

▼

땅 위의 물은 햇빛을
받으면 어떻게 되나요?

▼

온도가 내려가면 공기 중의
수증기는 어떻게 되나요?

02 지구상의 물은 순환하며 일정한 양을 유지하고 있음에도 불구하고, 현재 지구 면적의 19 %가 사막이 되어 가고 있습니다. 특히 아프리카는 사막화가 심해 생존을 위협받고 있습니다. 지구가 사막화 되는 이유를 적어보세요.

03 물은 지구 표면의 약 70 %를 덮고 있을 정도로 지구에서 아주 흔한 물질이지만, 일상생활에서 사용할 수 있는 물의 양은 지구상의 물 중 1 % 정도 밖에 안되는 매우 적은 양입니다. 일상생활에서 사용할 수 있는 물의 양이 적은 이유를 적어보세요.

손에 잡히는 문제 해결

지구상의 물은 대부분 어디에 있나요?

▼

우리가 마시는 물은 어떤 특징이 있나요?

▼

일상생활에서 사용할 수 있는 물은 어떤 특징을 가지고 있나요?

논술형

04 물은 동물이나 사람의 몸속에서 영양분과 산소를 각 세포로 전달하고, 소화와 배설을 도와 호흡과 순환, 체온 조절과 같은 물질대사가 이루어질 수 있도록 합니다. 사람은 물을 마시지 않고서는 최소 3일에서 최대 1주일까지 밖에 견딜 수 없습니다. 그러나 바다에 표류되는 극한 상황에서 바닷물을 마시면 더 위험합니다. 그 이유를 적어보세요.

손에 잡히는 문제 해결

바닷물과 우리가 마시는 물의 차이점은 무엇인가요?

▼

짠 음식을 먹고 난 후 물을 많이 마시는 이유는 무엇인가요?

▼

짠 바닷물을 마시면 우리 몸에서 어떤 일이 일어날까요?

STEAM

☑ Science
▶ 물 재활용

☑ Technology
▶ 중수도

☑ Engineering

☐ Art

☐ Mathmatics

한 번 사용한 물을 재활용하는 중수

우리나라의 연평균 강수량은 1,341 mm로 세계 평균(880 mm)의 약 1.5배이지만, 1인당 강수량은 세계 평균의 약 12 % 수준 밖에 되지 않는다. 우리나라는 인구는 많지만 물공급이 충분하지 않기 때문이다. 물 부족 문제를 해결하기 위한 방법도 점차 다양해지고 있다. 특히 최근에는 댐 건설 등에 대한 각종 부작용이 나타나면서, 수자원에 대한 관리와 재활용 등의 방법이 강조되고 있다.

상수는 우리가 먹는 물, 씻는 물, 일반적으로 사용하는 아주 깨끗한 물이고, 하수는 사용하고 난 뒤 더러워진 물이다. 화장실 변기의 물이나 공장에서 사용하는 물, 소방용으로 사용하는 물은 먹는 물처럼 1급 상수를 사용하기에는 아깝다. 그래서 한 번 사용한 수돗물을 상수와 하수의 중간 수질 정도로 정화하여 마시는 용도가 아닌, 화장실 변기용수, 청소용수, 세차용수, 농업용수, 조경용수(연못, 분수), 소방용수 등 사람 피부에 닿지 않는 곳에서 사용하고 있다.

이처럼 한 번 사용한 물을 생활용수나 공업용수 등으로 재활용할 수 있도록 정화한 물을 중수(잡용수), 중수를 만드는 시설을 중수도라고 한다. 중수 처리 기술은 하수처리 기술과 크게 다르지 않으며, 재활용된 물이지만 수질이 나쁜 물이 아니다.

현재 많은 대기업 공장, 대형 건물, 대형 놀이동산, 인천국제공항, 제3정부청사 같은 곳에 중수도 시설이 갖춰져 있다.

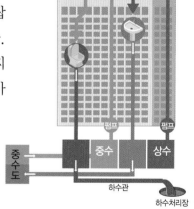

중수도

용어 풀이

☑ **수자원(물 水, 재물 資, 근원 原)**
지구상의 물 중 우리가 생활용수, 농업용수, 공업용수, 발전용 등의 자원으로 이용할 수 있는 물

☑ **상수(위 上, 물 水)**
먹고 씻기 위해 수도관을 통해 보내는 맑고 깨끗한 물

☑ **중수(가운데 中, 물 水)**
한 번 사용한 물을 재활용할 수 있도록 정화한 물

☑ **하수(아래 下, 물 水)**
빗물이나 집, 공장, 병원 따위에서 쓰고 버리는 더러운 물

1 한 번 사용한 물을 생활용수나 공업용수 등으로 재활용할 수 있도록 다시 처리한 물을 무엇이라고 하나요?

2 중수를 사용했을 때 장점을 두 가지 적어보세요.

손에 잡히는 STEAM

우리가 씻으면서 사용한
물을 어디로 갈까요?

▼

한 번 사용했던 물이 다시 깨끗한
물이 되려면 얼마나 걸릴까요?

▼

중수는 무엇인가요?

3 중수를 사용하는 것보다 빗물이나 건물 지하로 흘러
들어오는 지하수를 모아 재활용하는 것이 경제적으로
효과가 더 크다고 합니다. 그 이유를 적어보세요.

빗물저금통

손에 잡히는 STEAM

중수는 무엇인가요?

▼

한 번 사용한 물을 중수로 만들기
위해서 어떤 단계를 거쳐야 할까요?

▼

빗물은 어떤 특징이 있나요?

빗물 재활용

아이스크림 만들기

우유나 주스에 설탕, 향료, 색소를 넣고 휘저어서 얼리면 맛있는 아이스크림이 됩니다. 그러나 냉동실이 없던 옛날에는 아이스크림을 만드는 것 자체가 기적과도 같은 일이었습니다. 냉동실을 이용하지 않고 아이스크림을 만들어 보세요.

준비물

우유, 코코아 가루, 소금, 얼음, 작은 스테인리스 그릇, 큰 그릇, 숟가락, 실

탐구 과정

실험 1　① 우유에 코코아 가루를 넣고 섞어 아이스크림 액체를 만든다.

② 큰 그릇에 잘게 부순 얼음 조각과 소금을 3 : 1의 비율로 넣는다.

③ 얼음 조각과 소금이 담긴 큰 그릇 안에 작은 스테인리스 그릇을 넣는다.

④ 작은 스테인리스 그릇에 아이스크림 액체를 조금씩 넣으면서 숟가락으로 젓는다.

⑤ 아이스크림 액체의 변화를 관찰한다.

우유+코코아 가루

얼음+소금

아이스크림 액체

실험 2　① 실을 물에 적신다.

② 얼음 위에 실을 올린다.

③ 실이 놓인 얼음 위에 소금을 조금 뿌린다.

④ 실 주위를 자세히 관찰하고 10초 후 실을 들어본다.

소금
실
얼음

주의사항

• 망치로 얼음을 잘게 부순 후 소금과 골고루 섞는다.

• 아이스크림 액체는 열전달이 잘되는 금속 그릇에 넣는다.

• 아이스크림 액체를 조금씩 넣으면서 서서히 젓는다.

1 실험 1 에서 아이스크림 액체를 얼음과 소금이 있는 그릇 안에 넣고 숟가락으로 저으면 어떻게 되는지 적어보세요.

2 실험 2 에서 얼음 위에 물에 적신 실을 놓고 소금을 뿌렸을 때, 실 주위에 생기는 변화를 적어보세요.

3 실험 1 에서 아이스크림을 만들 때 얼음을 잘게 부순 후 소금과 섞는 이유를 적어보세요.

4

추운 겨울 강이나 호수의 물이 얼면, 얼음 위에서 썰매나 스케이트를 타고 얼음에 구멍을 뚫어서 낚시를 하기도 합니다. 그러나 훨씬 더 추운 남극이나 북극의 바다는 겨울이 되면 −20 ℃ 까지 낮아지지만 바닷물은 얼지 않고 액체 상태로 출렁입니다. 호수나 강의 물은 쉽게 얼지만, 바닷물은 쉽게 얼지 않는 이유를 추리하여 적어보세요.

▲ 꽁꽁 언 호수

▲ 남극 겨울 바다

바닷물

III 그림자와 거울

이 단원의 주요 내용

물체의 그림자를 관찰하고, 그림자 현상을 통해 빛의 직진을 이해한다. 거울에 비친 물체의 모습을 관찰하여 거울의 성질을 알고, 일상생활에서 거울이 이용되는 예를 알아본다.

★ 2015 개정 교육과정 교과서

　초등 3～4학년 군 :

　　4학년 2학기 3단원 그림자와 거울

★ 다른 학년과의 연계

　초등 5～6학년 군 : 빛과 렌즈

　중학교 1～3학년 군 : 빛과 파동

개념 더하기

● 광원
- 태양이나 쇳물과 같이 뜨거운 것은 빛을 낸다.
- 반딧불이나 형광등은 뜨겁지 않지만 빛을 낸다.

● 빛나는 달

태양은 스스로 빛을 내는 광원이지만, 달은 스스로 빛을 내지 않는다. 달은 빛나는 것처럼 보이는 이유는 태양 빛을 반사하기 때문이다.

용어 풀이

☑ 빛
태양, 별, 등불 등에서 나와 어둠을 밝혀 물체를 볼 수 있게 함

☑ 반사(되돌릴 反, 쏠 射)
빛이 물체에 부딪혀 되돌아 나오는 현상

정답

ⓓ 반사
ⓐ 많이 ⓑ 빛 ⓒ 눈

---

1 물체를 보기 위해서 필요한 것

1. 어둠상자 속의 물체 관찰하기

★ 탐구 어둠상자 속의 물체 관찰하기

탐구 과정

① 상자에 직사각형 모양의 창을 내고, 창과 직각인 면에 작은 구멍을 뚫는다.

② 상자 속에 관찰할 물체를 고정시키고, 검은색 종이로 창 가리개를 만들어 덮는다.

③ 어둠상자 안에 들어오는 빛의 양을 창 가리개로 조절하면서 물체를 관찰한다.

창 가리개
작은 구멍
물체

탐구 결과 및 결론

① 창 가리개로 빛을 완전히 가렸을 때는 아무것도 볼 수 없다.

② 창 가리개를 조금씩 열면 물체가 점점 선명하게 보인다.

③ 창 가리개를 모두 열어 빛이 가장 ⓐ____ 들어올 때 물체가 가장 잘 보인다.

④ 물체를 보기 위해서는 빛, 물체, 눈이 있어야 한다.

2. 광원

스스로 ⓑ____을 내어 주위를 비추는 것

예 태양, 전등, 반딧불이, 신호등, 쇳물 등

3. 물체를 보는 과정

① 광원에서 나온 빛이 우리 ⓒ____에 들어올 때 물체를 볼 수 있다.

② 스스로 빛을 내지 못하는 물체의 경우에는 광원에서 나온 빛이 물체에 ⓓ____되어 우리 눈에 들어올 때 물체를 볼 수 있다.

▲ 광원

반사

▲ 광원이 아닌 물체

2 빛이 나아가는 모습

1. 내가 볼 수 있는 친구 찾아보기

① 나 → ② 나 → ③ 나

① 가려지지 않은 친구는 볼 수 있다.

② 투명한 물체에 가려진 친구는 볼 수 ⓐ____ 다.

③ 불투명한 물체에 가려진 친구는 볼 수 ⓑ____ 다.

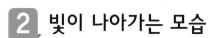

2. 공기 중에서 빛이 나아가는 모습

① 빛은 공기 중에서 곧게 나아간다. ➡ 빛의 ⓒ____

향 연기

레이저

손전등

빗

② 빛의 직진의 예

- 등대의 불빛을 보면 빛이 공기 중에서 곧게 나아간다.
- 구름 사이로 나오는 햇빛을 보면 빛이 공기 중에서 곧게 나아간다.
- 레이저쇼에서 레이저가 곧게 나아간다.

3 빛을 이용한 신호 전달

1. 거울로 빛 전달하기

① 빛이 지나가는 길에 거울을 놓으면 빛이 거울에 부딪쳐 다른 방향으로 튕겨나간다.

➡ 빛의 ⓓ____

② 거울의 방향을 바꾸면 빛이 반사되는 ⓔ____도 바뀐다.

③ 빛은 직진하기 때문에 굽은 지점에서 정보를 전달하려면 새로운 빛을 보내거나 빛의 ⓕ____를 이용하여야 한다.

개념 더하기

● **불투명한 물체에서 빛이 나아감**

투명한 물체는 빛을 거의 다 통과시키지만, 불투명한 물체는 빛을 통과시키지 못한다. 따라서 불투명한 물체에 의해 가려진 친구는 볼 수 없다.

● **향 연기의 역할**

레이저 빛이 지나가는 곳에 향을 피우면 연기로 인해 레이저 빛이 산란되어 빛이 나아가는 모습을 볼 수 있다.

● **광섬유와 통신**

광섬유를 이용하여 빛으로 신호를 보내는 광통신이 개발되어 더 많은 신호를 동시에 보낼 수 있어 생활이 더 편리해지고 있다. 광섬유는 빛의 반사를 이용하여 정보를 전달하며, 광섬유를 이용하면 굽은 곳이나 멀리 있는 곳까지 정보를 효율적으로 전달할 수 있다.

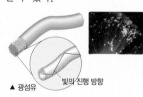

▲ 광섬유   빛의 진행 방향

용어 풀이

✓ **직진(곧을 直, 나아갈 進)**
곧게 나아감

정답

ⓕ 반사   ⓔ 방향   ⓓ 반사
ⓒ 직진   ⓑ 없   ⓐ 있

05 빛과 거울

개념 더하기

● 반사 법칙

• 거울 면에 빛이 도달하면 거울에서 반사되어 되돌아 나온다. 이때 들어오는 빛과 나아가는 빛이 거울 면에 수직인 선(법선)과 이루는 각은 항상 같다.

• 표면이 매끄러운 물체와 매끄럽지 않은 물체 모두 반사 법칙이 성립한다.

용어 풀이

▽ 표면(겉 表, 모양 面)
사물의 가장 바깥쪽

🚩 정답

ⓟ 유연 ⓔ 큰 ⓕ 큰
ⓔ 때문 ⓑ 일정 ⓒ 유연

---

4 물체의 표면에 내 모습 비추기

1. 여러 가지 물체에 모습 비추어 보기

구분	물체가 잘 비칠 때	물체가 잘 비치치 않을 때
물체	• 구겨지지 않은 알루미늄박 위의 물체 • 주전자 뚜껑 바깥쪽에 얼굴을 비출 때 • 잔잔한 물에 비친 풍경	• 구겨진 알루미늄박 위의 물체 • 주전자 뚜껑 안쪽에 얼굴을 비출 때 • 출렁이는 물에 비친 풍경
특징	표면이 매끄럽고 반짝인다.	표면이 매끄럽지 않고 반짝이지 않는다.

2. 내 모습이 잘 비치는 물체 찾아보기

① 내 모습이 잘 비치는 물체 : 텔레비전, 거울, 책상 위의 유리, 컴퓨터 모니터 등
② 내 모습이 잘 비치는 물체의 특징 : 표면이 ⓐ_____럽다.
③ 표면이 매끄러운 물체에서 내 모습이 잘 비치는 이유

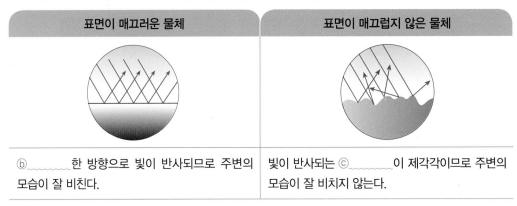

표면이 매끄러운 물체	표면이 매끄럽지 않은 물체
ⓑ_____ 한 방향으로 빛이 반사되므로 주변의 모습이 잘 비친다.	빛이 반사되는 ⓒ_____ 이 제각각이므로 주변의 모습이 잘 비치지 않는다.

5 거울에 비친 물체의 모습 관찰

1. 거울에 비친 모습 살펴보기

① 거울에 비친 모습의 특징

• 물체의 ⓓ_____이 바뀌어 보인다.
• 물체의 크기는 ⓔ___다.
• 물체의 색은 ⓕ___다.

2. 거울을 회전시키면서 보이는 물체 관찰하기

① 거울 면이 향하는 ⓐ＿＿＿＿＿이 달라질 때 거울에 비친 모습이 달라진다.

- 거울을 정면으로 볼 때 : 내가 보인다.
- 거울을 오른쪽으로 회전시킬 때 : 오른쪽에 있는 친구가 보인다.
- 거울을 왼쪽으로 회전시킬 때 : 왼쪽에 있는 친구가 보인다.

② 거울을 이용하면 직접 볼 수 없는 곳을 볼 수 있다.

▲ 거울을 정면에서 볼 때　　▲ 거울을 오른쪽으로 회전시킬 때　　▲ 거울을 왼쪽으로 회전시킬 때

3. 일상생활에서 거울을 이용하는 예

① 미용실에서 내 뒷머리를 볼 때 : 거울에 반사된 나의 뒷모습을 볼 수 있다.

② 자동차의 거울을 통하여 뒤쪽에서 오는 자동차를 볼 때 : 거울에 반사된 뒤쪽에서 오는 자동차를 볼 수 있다.

③ 치과에서 윗니를 살펴볼 때 : 거울에 반사된 이의 안쪽 모습을 볼 수 있다.

④ 상점의 대형 거울이 매장을 비출 때 : 상점의 구석구석을 볼 수 있다.

6 거울로 여러 개의 물체 모습 만들기

1. 거울 사이의 각도를 달리하면서 거울에 비친 물체의 모습 관찰하기

① 거울 두 개가 이루는 각이 좁을수록 거울에 비친 물체의 수가 ⓑ＿＿＿＿＿진다.

② 거울에 비친 물체의 크기, 모양, 색깔은 변화가 없다.

③ 거울 두 개를 ⓒ＿＿＿＿＿ 보게 놓으면 거울에 비친 물체의 수가 무수히 많다. ➡ 한쪽 거울에 비친 물체의 모습이 다른 쪽 거울에 비쳐 모습이 계속 만들어지기 때문이다.

01 어둠상자에 들어가는 빛의 양을 창 가리개로 조절하면서 어둠상자 속의 물체를 관찰하였습니다. 이에 대한 설명으로 옳은 것은 어느 것입니까? (　　)

① 빛을 완전히 가려도 희미하게 보인다.
② 창 가리개는 흰색 종이를 사용하여 만든다.
③ 물체를 보려면 물체와 눈만 있으면 된다.
④ 빛이 들어오는 부분을 조금씩 열면 물체가 점점 선명하게 보인다.
⑤ 빛이 들어오는 부분을 반쯤 가렸을 때가 물체가 가장 선명하게 보인다.

02 다음 중 광원이 <u>아닌</u> 것은 어느 것입니까? (　　)

▲ 전구

▲ 반딧불이

▲ 태양

▲ 쇳물

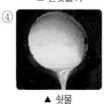
▲ 달

03 다음 〈보기〉 중 물체를 보는 과정에 대한 설명으로 옳은 것을 모두 고른 것은 어느 것입니까? (　　)

보기
㉠ 광원에서 나온 빛이 물체에 닿으면 볼 수 있다.
㉡ 눈에서 나온 빛이 물체에 닿으면 볼 수 있다.
㉢ 광원에서 나온 빛이 물체에 반사되어 우리 눈에 들어오면 볼 수 있다.

① ㉢　　　　　　　　② ㉠, ㉡
③ ㉠, ㉢　　　　　　④ ㉡, ㉢
⑤ ㉠, ㉡, ㉢

04 다음 글에서 설명하는 빛의 성질로 옳은 것은 어느 것입니까? (　　)

• 등대의 불빛이 공기 중에서 곧게 나아간다.
• 구름 사이로 나오는 햇빛이 공기 중에서 곧게 나아간다.

① 빛의 반사　　　② 빛의 직진
③ 빛의 굴절　　　④ 빛의 분산
⑤ 빛의 합성

05 다음 중 빛이 직진하는 예로 옳은 것을 <u>모두</u> 고르시오. (　　, 　　)

① 등대의 불빛
② 물에 비친 모습
③ 거울에 비친 모습
④ 하늘에 뜬 무지개
⑤ 구름 사이로 나오는 햇빛

06 다음 중 거울을 이용하여 빛을 전달할 때에 대한 설명으로 옳지 <u>않은</u> 것은 어느 것입니까? (　　)

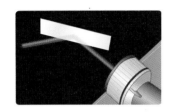

① 광섬유에 이용된 빛의 성질과 같다.

② 빛이 거울에 부딪치면 방향이 바뀐다.

③ 거울의 방향을 바꾸면 빛의 튕겨나가는 방향도 바뀐다.

④ 레이저를 사용하면 거울에 부딪쳐도 방향이 바뀌지 않는다.

⑤ 빛이 굽은 지점에서 정보를 전달하려면 새로운 빛을 보내거나 빛의 반사를 이용한다.

07 다음 중 잔잔한 물에 비친 풍경이 출렁이는 물에 비해 더 잘 비치는 이유는 어느 것입니까? (　　)

① 물체의 표면이 투명할수록 더 잘 비친다.

② 물체의 표면이 불투명할수록 더 잘 비친다.

③ 물체의 표면이 매끄러울수록 더 잘 비친다.

④ 물체의 표면이 울퉁불퉁할수록 더 잘 비친다.

⑤ 빛이 수면에 반사되어 여러 방향으로 나아가기 때문이다.

08 다음 중 내 모습이 잘 비치는 물체가 <u>아닌</u> 것은 어느 것입니까? (　　)

① 거울 　　　② 유리

③ 종이컵 　　④ 텔레비전

⑤ 컴퓨터 모니터

09 다음 〈보기〉 중 거울을 회전시키면서 보이는 물체를 관찰할 때에 대한 설명으로 옳은 것을 모두 고른 것은 어느 것입니까? (　　)

보기

㉠ 거울을 정면에서 보면 내가 보인다.

㉡ 거울을 오른쪽으로 회전시키면 오른쪽에 있는 친구가 보인다.

㉢ 거울을 이용하면 직접 볼 수 없는 곳을 볼 수 있다.

① ㉡ 　　　　　　　　② ㉠, ㉡

③ ㉠, ㉢ 　　　　　　④ ㉡, ㉢

⑤ ㉠, ㉡, ㉢

10 다음은 두 개의 거울이 이루는 각에 따라 거울에 비치는 물체의 모습을 관찰한 것입니다. 이에 대한 설명으로 옳은 것은 어느 것입니까? (　　)

① 거울에 비친 물체의 크기가 커진다.

② 거울 두 개가 이루는 각이 120°이면 거울에 4개의 물체가 보인다.

③ 거울 두 개가 이루는 각이 직각이면 거울에 6개의 물체가 보인다.

④ 거울 두 개가 이루는 각이 좁을수록 거울에 비친 물체의 수가 적어진다.

⑤ 두 개의 거울을 마주 보게 놓으면 거울에 비친 물체의 수가 무수히 많다.

서술형으로 다지기

등대의 역할은 무엇인가요?

▼

등대의 빛이 멀리까지 전달되려면
주위 환경이 어떠해야 할까요?

▼

등대가 있는 대왕암공원의
주변 환경은 어떠한가요?

01 등대는 먼 곳에 있는 배에 빛을 보내 길을 안내해 줍니다. 울산 대왕암공원에는 같은 자리에 2개의 등대가 있습니다. 옛날 울기등대는 1905년에 일본이 지은 것으로 높이가 약 9 m 정도이며, 새로 지은 울기등대는 24 m 높이로 1987년에 새로 지은 것입니다. 같은 자리에 등대를 새로 하나 더 지은 이유를 적어보세요.

▲ 울산 대왕암공원

▲ 대왕암 공원의 울기등대

우리가 물체를 보는
과정은 어떠한가요?

▼

프리즘에 흰색 햇빛을
비추면 어떻게 되나요?

▼

흰색 햇빛이 빨간색 물체에
닿으면 어떻게 되나요?

02 다음은 빨간색 꽃을 보는 과정을 화살표로 나타낸 모습입니다. 햇빛은 흰색인데 꽃이 빨간색으로 보이는 이유를 적어보세요.

03

다음 그림과 같이 '29'가 적혀 있는 종이를 거울을 계속 연결하여 비추어 보았습니다. A∼C 거울에 비친 모습을 그리고, 거울의 개수가 많아짐에 따라 '29'의 모습이 어떻게 달라지는지 규칙성을 적어보세요.

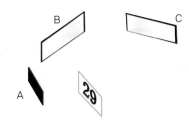

04

다음과 같이 음료수 캔에 알루미늄 포일을 매끄럽게 붙인 다음, 캔 앞에 연필을 놓았습니다. 음료수 캔에 비친 연필의 모습을 그리고, 그렇게 그린 이유를 적어보세요.

STEAM ✨

- ✅ Science
  - ▶ 반사의 법칙
- ☐ Technology
- ✅ Engineering
  - ▶ 거울
- ☐ Art
- ☐ Mathmatics

하루의 시작과 끝을 함께 하는 거울의 원리

우리는 매일 거울을 보면서 자신의 모습이 단정하고 아름다운지 살핀다. 욕실, 현관, 화장대 등 집안 어디를 가든 거울이 있고 자동차, 반사식 망원경, 그리고 슈퍼마켓에서도 거울을 사용한다. 우리가 거울을 통해 자기 모습과 사물을 보고, 광원이 아닌 물체를 볼 수 있는 이유는 빛이 경계면에서 반사하여 우리 눈에 들어오기 때문이다. 빛의 반사란 공이 벽에 부딪혀 튕겨 나오듯, 진행하던 빛이 매질의 경계면에서 튕겨 나오는 현상이다. 빛의 반사는 반사 법칙을 따른다. 경계면을 향해 입사한 광선과 경계면에서 반사된 광선은 경계선에 수직으로 세운 가상의 법선을 기준으로 항상 대칭이다. 그러므로 입사 광선과 법선이 이루는 입사각과 반사 광선과 법선이 이루는 반사각은 항상 같다. 거울과 같이 매끄러운 표면에서 반사되는 것을 정반사, 종이와 같이 울퉁불퉁한 표면에서 일어나는 반사를 난반사라고 하는데, 두 경우 모두 반사 법칙이 항상 성립한다.

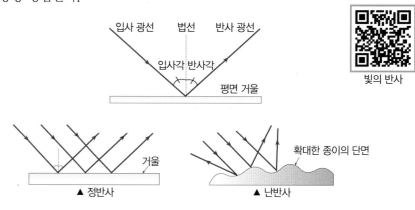

빛의 반사

▲ 정반사   ▲ 난반사

---

1 경계면에서 법선을 기준으로 입사 광선이 법선과 이루는 각도와 반사 광선이 법선과 이루는 각도가 항상 같다는 법칙은 무엇인가요?

용어 풀이

☑ **경계면(가장자리 境, 경계 界, 면 面)**
공기와 물이 만나는 부분과 같이 성질이 크게 달라지는 곳을 말한다. 공기와 거울이 만나는 부분도 경계면이다.

2 평면 거울은 표면이 편평하고 매끈하며 뒷면에 은과 같은 금속이 도금된 유리 제품입니다. 거울에 비치는 상은 보통 좌우 대칭이라고 하는데 거울의 경계면을 기준으로 앞뒤 대칭이라고 하는 것이 더 적절합니다. 앞뒤 대칭이 더 적절한 이유를 추리하여 적어보세요.

거울에 비친 물체의 모습은 실제 물체의 모습과 어떤 차이점이 있나요?

▼

거울 앞에 서서 손으로 오른쪽을 가리키면 거울에 비친 나는 어느 쪽을 가리키나요?

▼

거울 앞에 서서 손으로 거울 쪽을 가리키면 거울에 비친 나는 어느 쪽을 가리키나요?

논술형

3 정영경은 발명가 기타무라 겐지가 고안해 특허를 얻은 거울로, '바르게 비치는 거울'이란 뜻입니다. 정영경은 평면 거울 두 개를 직각으로 마주 보게 하고 그 앞에 유리를 끼워 삼각 기둥 모양을 만든 후, 삼각 기둥 속에 물을 채워 만듭니다. 정영경으로 보면 물체가 바로 보이는 이유를 적어보세요.

평면 거울
물
유리

정영경의 뜻은 무엇인가요?

▼

정영경은 거울을 몇 개 이용하나요?

▼

두 개의 거울을 직각으로 마주 보게 하면 거울에 비친 모습은 어떻게 되나요?

정영경

06 빛과 그림자

개념 더하기

● **투명한 물체와 불투명한 물체에서 빛이 통과하는 정도**

• 투명한 물체 : 투명한 물체는 빛을 많이 통과시키지만 100 % 통과 시키지 않는다. 따라서 투명한 물체 뒤에도 흐린 그림자가 생긴다.

• 불투명한 물체 : 빛을 모두 가리지는 않는다. 낮에 불투명한 종이로 창문을 가려도 방안이 환하게 느껴진다.

용어 풀이

☑ **암막(어두울 暗, 막 膜)**
빛이 들어오는 것을 막아 어둡게 하기 위해 치는 빛이 잘 통과하지 않는 막

정답

ⓐ 모두를 ⓑ 모두
ⓒ 모투불 ⓓ 조투 ⓔ 투불

---

1 빛의 양을 조절하는 경우

1. 물체에 따른 빛의 통과 정도

투명한 물체	• 뒤에 있는 물체가 잘 보인다. • 빛을 거의 ⓐ____ 통과시킨다. • 유리, OHP 필름, 물, 얼음 등
반투명한 물체	• 뒤에 있는 물체가 선명하게 보이지 않는다. • 빛을 ⓑ____ 만 통과시킨다. • 화선지, 젖빛 유리, 투사지 등
ⓒ____ **한 물체**	• 뒤에 있는 물체가 보이지 않는다. • 빛을 통과시키지 않는다. • 나무, 두꺼운 종이, 마분지 등

▼ OHP 필름

▲ 투사지　　▲ 마분지

2. 일상생활에서 빛의 양을 조절하는 경우

① 일상생활에서 빛을 이용하는 경우

➡ 유리, 비닐 등 ⓓ____한 물질을 사용한다.

• 가게의 창을 유리로 만들어 안에 진열된 물건을 밖에서 볼 수 있도록 한다.

• 인천 국제공항의 외벽을 유리로 만들어 비행기가 뜨고 내리는 것을 볼 수 있도록 한다.

• 온실을 유리로 만들어 빛이 잘 들어오도록 하여 식물이 자라는 데 도움을 준다.

• 학교 창문을 유리로 만들어 교실에 빛이 잘 들어오도록 한다.

② 일상생활에서 빛을 가리는 경우

➡ 헝겊이나 색깔이 진한 유리 등 반투명하거나 ⓔ____한 물질을 사용한다.

• 암막 커튼은 빛을 막아주므로 영화를 볼 때 도움을 준다.

• 인삼은 강한 빛을 받으면 잘 자라지 않으므로 검은색 천으로 햇빛을 가려주어야 한다.

• 빛을 받으면 변하는 약이나 음료는 갈색 병에 담아 보관한다.

• 햇빛으로부터 눈을 보호하기 위해 선글라스를 사용한다.

▲ 유리온실　　▲ 가게 창　　▲ 인삼 밭　　▲ 선글라스

③ 일상생활에서 빛을 이용하면 좋은 점 : 빛을 에너지로 활용할 수 있고, 안에서 밖을 볼 수 있다.

3. 교실에서 빛을 조절하는 경우

① 운동장 쪽 창문 : 햇빛이 잘 들어오게 하고 밖을 내다볼 수 있도록 투명한 유리를 사용한다.

② 복도 쪽 아래 창문 : 빛도 들어오면서 복도를 지나다니는 사람으로 인한 수업의 방해를 막기 위해서 반투명한 젖빛 유리를 사용한다.

▲ 운동장 쪽 창문

▲ 복도 쪽 창문

2 그림자가 생기는 까닭

1. 그림자 관찰 장치로 구멍 뚫린 종이 관찰하기

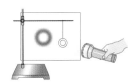

① 구멍이 뚫린 부분 : 그림자가 생기지 ⓐ＿＿＿다.

② 구멍이 뚫리지 않은 부분 : 그림자가 ⓑ＿＿＿다.

2. 투명한 물체와 불투명한 물체의 그림자 비교하기

투명한 물체	불투명한 물체

빛을 거의 통과시키므로	빛을 거의 통과시키지 못하므로
• 그림자의 색이 진하지 않고 ⓒ＿＿＿하다. • 그림자를 관찰하기 어렵다.	• 그림자의 색깔이 진하고 ⓓ＿＿＿하다. • 그림자의 관찰이 매우 쉽다.

3. 물체의 모양과 다양한 그림자

물체의 모양과 그림자의 모양은 비슷할 때도 있지만, 물체가 놓인 방향과 빛의 방향에 따라 다를 때도 있다.

4. 그림자가 생기는 조건과 이유

① 그림자가 생기는 조건 : 빛과 ⓐ＿＿＿가 있어야 한다.

② 그림자가 생기는 이유 : 직진하는 ⓕ＿＿이 물체에 가려서 물체의 뒷면에 빛이 도달하지 못하면 그림자가 생긴다.

개념 더하기

● 그림자의 색깔

그림자는 불투명한 물체에 의해 빛이 가로막혀 생기므로 보통 검은색으로 보인다. 그러나 빛이 모두 가려지지 않는 일상 공간에서는 빛의 색깔에 따라 또는 그림자가 생기는 곳의 색깔에 따라 그림자의 색이 달라 보일 수 있다.

정답

ⓐ 않는 ⓑ 생긴 ⓒ 연하 ⓓ 진하 ⓔ 물체 ⓕ 빛

개념 더하기

● **그림자를 이용한 시계**

해시계는 태양에 의해 생기는 그림자의 길이와 방향 변화를 이용하여 시간과 절기(대략적인 날짜)을 측정한다. 앙부일구는 조선 시대에 사용한 대표적인 해시계이다.

용어 풀이

√ **광원(빛 光, 근원 原)**
스스로 빛을 내어 주위를 비추는 것

정답
ⓐ 작아 ⓑ 커 ⓒ 작아 ⓓ 커 ⓔ 광원 ⓕ 스크린

---

3 그림자의 크기

1. 그림자의 크기 변화 알아보기

> ★탐구 **그림자의 크기 변화시키기**
>
> 🔍 **탐구 과정**
> ① 스크린과 손전등의 위치를 고정시킨다.
> ② 물체를 스크린에 멀리 놓고 그림자의 크기를 관찰한다.
> ③ 물체를 스크린 쪽으로 옮기고 그림자의 크기를 관찰한다.
> ④ 스크린과 물체의 위치를 고정시킨다.
> ⑤ 손전등을 물체에서 멀리 두고 그림자의 크기를 관찰한다.
> ⑥ 손전등을 물체 쪽으로 옮기고 그림자의 크기를 관찰한다.
>
>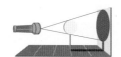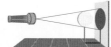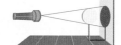
>
> ▲ 물체를 스크린 쪽으로 옮길 때   ▲ 손전등을 물체 쪽으로 옮길 때
>
> 🔍 **탐구 결과 및 결론**
> ① 스크린과 손전등을 고정시키고 물체를 스크린에 멀게 하면 그림자의 크기가 ⓐ____진다.
> ② 스크린과 손전등을 고정시키고 물체를 스크린에 가깝게 하면 그림자의 크기가 ⓑ____진다.
> ③ 물체와 스크린을 고정시키고 손전등을 물체에 멀게 하면 그림자의 크기가 ⓒ____진다.
> ④ 물체와 스크린을 고정시키고 손전등을 물체에 가깝게 하면 그림자의 크기가 ⓓ____진다

① 그림자의 크기를 변화시키는 방법

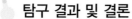

그림자의 크기를 크게 하는 방법	그림자의 크기를 작게 하는 방법
• 광원과 스크린을 고정시키고, 물체를 ⓔ____ 쪽으로 옮긴다. 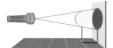  ▲ 물체를 광원 쪽으로 옮길 때	• 광원과 스크린을 고정시키고, 물체를 ⓕ____ 쪽으로 옮긴다. 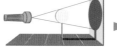  ▲ 물체를 스크린 쪽으로 옮길 때
• 물체와 스크린을 고정시키고, 광원을 물체 쪽으로 옮긴다. 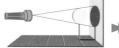  ▲ 광원을 물체 쪽으로 옮길 때	• 물체와 스크린을 고정시키고, 광원을 물체에서 멀리 옮긴다.   ▲ 광원을 물체에서 멀리 옮길 때

② 한 가지 물체의 그림자 크기만 변화시키는 방법

• 광원을 고정시키고 물체를 광원 쪽으로 가까이 옮기면 그 물체의 그림자만 ⓐ＿＿＿진다.

• 광원을 고정시키고 물체를 광원에서 ⓑ＿＿＿＿옮기면 그 물체의 그림자만 작아진다.

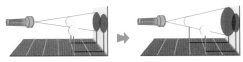

▲ 한 물체만 광원 쪽으로 가까이 옮길 때

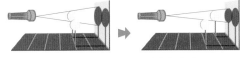

▲ 한 물체만 광원에서 멀리 옮길 때

③ 모든 물체의 그림자를 변화시키는 방법

• 물체를 고정시키고 광원을 물체에 가까이 옮기면 그림자의 크기가 모두 ⓒ＿＿＿진다.

• 물체를 고정시키고 광원을 물체에서 ⓓ＿＿＿＿옮기면 그림자의 크기가 모두 작아진다.

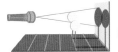 

▲ 광원을 두 물체에 가까이 옮길 때

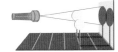 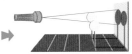

▲ 광원을 두 물체에서 멀리 옮길 때

4 그림자 연극

1. 각 장면의 표현 방법 계획하기

① 박을 타는 모습

• 박 위에 톱 모양을 좌우로 움직인다.

• 박을 천천히 한쪽으로 기울이면서 쪼개지는 모양을 표현한다.

• 박을 두 개의 반원으로 겹쳐서 표현하였다가 둘로 나눈다.

② 박이 쪼개지면서 작은 사람이 나오는 모습

• 박이 쪼개지기 전에 뒤쪽에 사람을 놓는다.

③ 작은 사람이 점점 커지는 모습

• 한 사람만 커져야 할 때에는 그 사람을 ⓔ＿＿＿＿쪽으로 옮긴다.

• 여러 명이 한꺼번에 커져야 할 때에는 광원을 사람 쪽으로 옮긴다.

④ 무대 위의 모든 물체가 동시에 작아지는 모습

• 광원을 물체에서 ⓕ＿＿＿＿옮긴다.

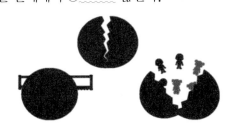 

개념 더하기

● 그림자의 진하기

물체가 전등의 빛을 모두 가리는 부분은 진한 그림자가 생기고, 빛을 조금만 가리는 부분은 흐릿한 그림자가 생긴다.

● 광원의 수와 그림자 수

광원이 1개이면 그림자가 1개, 광원이 2개이면 그림자가 2개, 광원이 3개이면 그림자가 3개 생긴다.

용어 풀이

☑ 연극(멀리 흐를 演, 심할 劇)
대본에 따라 배우가 무대에서 연기를 하는 것을 관객에게 보여 주는 예술

정답

ⓐ 커 ⓑ 멀리 ⓒ 커 ⓓ 멀리
ⓔ 광원 ⓕ 멀리

개념기르기

01 다음 중 물체에 따른 빛의 통과 정도를 옳게 설명한 것은 어느 것입니까? ( )

① 유리는 불투명한 물체이다.
② 투명한 물체는 빛을 조금 통과시킨다.
③ 나무, 두꺼운 종이는 투명한 물체이다.
④ 반투명한 물체는 빛을 모두 통과시킨다.
⑤ 불투명한 물체는 빛을 통과시키지 못한다.

02 다음 중 인삼을 키울 때 검은색 천으로 덮어서 키우는 이유로 옳은 것은 어느 것입니까? ( )

① 인삼이 검은색을 좋아해서
② 인삼밭을 표시하기 위해서
③ 비를 맞지 않게 하기 위해서
④ 햇빛을 가려야 잘 자라기 때문에
⑤ 인삼밭에 접근하는 사람이 눈에 잘 띄게 하려고

03 다음 중 빛을 가리는 물건이 <u>아닌</u> 것은 어느 것입니까? ( )

① 모자 ② 양산
③ 갈색 병 ④ 선글라스
⑤ 유리온실

04 다음 그림 (가)와 (나)는 교실에서 빛을 조절하는 창문의 종류입니다. 〈보기〉 중 옳은 설명을 모두 고른 것은 어느 것입니까? ( )

(가) (나)

> **보기**
> ㉠ (가)는 투명한 유리를 사용한다.
> ㉡ (나)는 젖빛 유리를 사용한다.
> ㉢ (가)는 복도 쪽 창문, (나)는 운동장 쪽 창문이다.

① ㉢ ② ㉠, ㉡
③ ㉠, ㉢ ④ ㉡, ㉢
⑤ ㉠, ㉡, ㉢

05 오른쪽 물체의 그림자 모양으로 옳지 <u>않은</u> 것은 어느 것입니까? ( )

① ②

③  ④

⑤

06 다음 〈보기〉 중 그림자가 생기는 까닭을 바르게 말한 것을 모두 고른 것은 어느 것입니까? ( )

> 보기
> ㉠ 그림자는 빛과 투명한 물체가 있어야 선명하다.
> ㉡ 직진하는 빛이 물체에 가려 물체 뒷면에 빛이 도달하지 못할 때 그림자가 생긴다.
> ㉢ 투명한 물체는 그림자의 색이 흐릿해 그림자를 관찰하기 어렵다.

① ㉢   ② ㉠, ㉡
③ ㉠, ㉢   ④ ㉡, ㉢
⑤ ㉠, ㉡, ㉢

07 다음 중 그림자에 대한 설명으로 옳은 것은 어느 것입니까? ( )

① 그림자의 모양은 항상 똑같다.
② 그림자는 물체의 모양과 같다.
③ 그림자의 크기는 변하지 않는다.
④ 그림자를 통해 물체의 색깔을 알 수 있다.
⑤ 그림자를 통해 물체의 외곽선 모양을 알 수 있다.

08 다음 그림에서 전등과 스크린을 고정하고 물체를 스크린에 가까이했을 때 그림자의 크기 변화로 옳은 것은 어느 것입니까? ( )

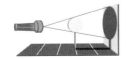

① 작아진다.   ② 변하지 않는다.
③ 커진다.   ④ 작아졌다 커진다.
⑤ 커지다 작아진다.

09 다음 〈보기〉 중 그림자의 크기를 크게 하는 방법을 모두 고른 것은 어느 것입니까? ( )

> 보기
> ㉠ 광원과 스크린을 고정하고 물체를 스크린 쪽으로 옮긴다.
> ㉡ 물체와 스크린을 고정하고 광원을 물체 쪽으로 옮긴다.
> ㉢ 물체와 스크린을 고정하고 광원을 물체에서 멀리 옮긴다.

① ㉠   ② ㉡
③ ㉠, ㉢   ④ ㉡, ㉢
⑤ ㉠, ㉡, ㉢

10 다음은 손전등과 스크린 사이에 같은 크기의 물체 A, B를 놓은 모습이다. 이에 대한 설명으로 옳은 것을 <u>모두</u> 고르시오. (,)

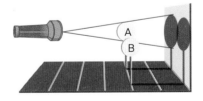

① 손전등의 위치를 고정하고 A를 손전등에 가까이 하면 A의 그림자가 B보다 작아진다.
② 손전등의 위치를 고정하고 B를 손전등에 가까이 하면 A의 그림자 B보다 커진다.
③ A, B의 위치를 고정하고 손전등을 가까이하면 A, B 그림자가 모두 커진다.
④ A, B의 위치를 고정하고 손전등을 멀리하면 A, B 그림자 크기는 변하지 않는다.
⑤ 손전등의 위치를 고정하고 B를 손전등에 멀리하면 A의 그림자가 B보다 커진다.

서술형으로 다지기

🔍 손에 잡히는 문제 해결

그림자가 생기는 이유는 무엇인가요?

▼

광원이 두 개일 때
그림자는 몇 개 생길까요?

그림자가 생긴 방향을 보고
광원의 위치를 생각해 봅니다.

01 저녁에 하는 축구 경기를 보면 축구 선수의 그림자가 여러 개인 것을 볼 수 있습니다. 축구 선수의 그림자가 여러 개 생기는 이유를 적어보세요.

🔍 손에 잡히는 문제 해결

하루 동안 시간에 따라 그림자의
길이는 어떻게 변하나요?

▼

해가 뜰 때와 해가 질 때
그림자의 길이는 어떠한가요?

▼

한 낮에 그림자의 모습은 어떠한가요?

02 다음은 날씨가 좋은 날 찍은 나무 사진입니다. 나무의 그림자를 보고 이 사진을 찍은 시각이 대략 몇 시인지 이유와 함께 적어보세요.

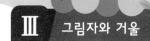
03 다음은 손전등, 물체, 스크린을 나란히 세워놓고 그림자를 관찰하는 모습입니다. 그림자의 크기는 손전등, 물체, 스크린의 거리에 따라 달라집니다. 만약 전등이 고장나 불이 켜지지 않을 때 그림자의 크기를 예상할 수 있는 방법을 이유와 함께 적어보세요.

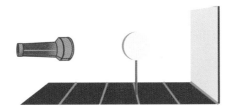

🔍 **손에 잡히는 문제 해결**

그림자가 생기는 이유는 무엇인가요?

▼

손전등의 빛이 나아가는
모습은 어떠한가요?

▼

손전등의 빛이 물체를 만나면
빛은 어떻게 될까요?

04 다음은 조선 시대의 해시계인 앙부일구입니다. 앙부일구는 시간뿐만 아니라 대략적인 날짜도 알 수 있는 해시계였습니다. 앙부일구로 시간과 대략적인 날짜를 알 수 있었던 이유를 적어보세요.

앙부일구

🔍 **손에 잡히는 문제 해결**

하루 동안 태양은 어떻게 움직이나요?

▼

일년 동안 태양은 어떻게 움직이나요?

▼

앙부일구에 생기는 그림자는
하루 동안 또는 일년 동안
어떻게 바뀔까요?

융합사고력 키우기

STEAM

✓ **Science**
  ▶ 그림자

☐ **Technology**

✓ **Engineering**
  ▶ 전기 에너지

✓ **Art**
  ▶ 그림자 연극

☐ **Mathmatics**

그림자 놀이

불빛에 비추어 벽에 손 모양을 바꾸어가며 개, 여우, 새, 고양이, 오리 등 여러 가지 모양의 그림자를 만들어 본 적이 있을 것이다. 한 손 또는 두 손으로 원하는 모양을 만들기 어려울 때에는 종이나 나무 막대기, 접시 등 보조 기구를 사용하거나 손가락을 움직이거나, 소리를 내면 더욱 실감나는 그림자를 만들 수 있다.

그림자 놀이는 전기가 일반화되기 전까지 주로 겨울의 긴 밤 시간에 전국적으로 널리 행해졌던 놀이이다. 보통 동물의 모양을 흉내 내는 간단한 방법부터, 작은 도구를 이용한 복잡한 방법까지 다양하다.

원시 시대의 단순한 모양 만들기부터 시작한 그림자 놀이는 예술로 발전하여 놀이와 예술을 오가며 오늘날까지 이어지고 있다. 전통적인 그림자 연극으로는 만석중 놀이가 있는데, 1920년대까지 사찰이나 그 인근에서 불교 포교의 수단으로 사용되었다. 1983년 극장 서낭당에서 극을 재구성하여 무대에 올림으로써 한때 전승하려는 움직임을 보였으나 지금은 사라진 놀이 문화가 되었다.

그림자 연극

용어 풀이

☑ **만석중 놀이**
음력 사월 초파일(석가탄신일)에 행하는 그림자 놀이로 말 없이 그림자 인형들의 움직임으로만 하는 연극

☑ **포교(펼 布, 가르칠 敎)**
종교를 널리 알리는 일

☑ **전승(전할 傳, 이을 承)**
문화, 풍속, 제도를 이어받아 계승하는 것

1 빛을 비추었을 때 유리나 어항처럼 투명한 물체는 빛이 통과하여 거의 생기지 않지만, 불투명한 물체는 빛이 통과하지 못하여 물체의 뒷부분에 어두운 부분이 생기는데 이 부분을 무엇이라고 하나요?

2 17세기의 화가 렘브란트는 그림 속에서 빛과 어둠을 창조한 것으로 유명합니다. 렘브란트의 '자화상' 그림에서 그림자를 관찰하여 빛의 방향을 찾고, 그렇게 생각한 이유를 적어보세요.

손에 잡히는 STEAM

그림자가 생기는 이유는 무엇인가요?

▼

그림에서 밝은 부분과 어두운 부분은 어디인가요?

▼

밝은 부분과 어두운 부분이 생기는 이유는 무엇인가요?

3 전등 대신에 햇빛을 이용하여 그림자 연극을 한다면 전등 아래에서 그림자 연극을 할 때와 어떤 차이점이 있는지 이유와 함께 적어보세요.

손에 잡히는 STEAM

그림자 연극을 할 때 어떻게 그림자의 크기를 바꿀 수 있나요?

▼

전등과 물체 사이의 거리와 태양과 물체 사이의 거리를 비교해보세요.

▼

전등과 햇빛 중에 그림자의 크기를 조절하기 쉬운 것은 무엇인가요?

바늘구멍 사진기

빛이 비치는 곳은 밝고, 빛이 비치지 않는 곳은 어둡다. 빛이 지나가는 길에 불투명한 물체가 놓이면 그림자가 생긴다. 실험을 통하여 빛의 성질을 알아보자.

준비물

검은색 마분지, 검은색 절연 테이프, 칼, 가위, 투사지(트레싱지), 구부러지는 빨대, 침핀, 초

탐구 과정

실험 1
① 구부러지는 빨대를 곧게 펴서 천장의 전등을 관찰한다.
② 빨대를 구부린 후 천장의 전등을 관찰한다.

실험 2
① 검은색 마분지로 한쪽 면이 없는 큰 상자와 작은 상자를 각각 만든다.
② 상자 모서리를 검은색 절연 테이프로 붙여 빛이 들어오지 않도록 한다.
③ 큰 상자 앞면에 침핀으로 한 번만 찔러 작은 구멍을 뚫는다.
④ 작은 상자 앞면에 투사지를 붙인다.
⑤ 작은 상자를 큰 상자 안에 끼운다.
⑥ 작은 상자를 서서히 밖으로 꺼내면서 촛불을 관찰한다.

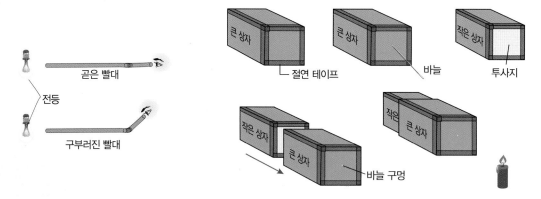

주의사항

• 큰 상자 앞면에 침핀으로 아주 작은 구멍을 뚫는다.
• 바늘구멍 사진기는 촛불과 30 cm 이상 떨어진 곳에서 관찰한다.

1 실험 1 에서 과정 ①과 ②의 실험 결과를 쓰고, 차이가 생기는 이유를 적어보세요.

• 과정 ① :

• 과정 ② :

• 차이가 생기는 이유 :

2 바늘구멍 사진기로 다음 그림과 같은 촛불을 관찰했을 때 상의 모습을 그리고, 촛불이 실제 모습과 다르게 보이는 이유를 적어보세요.

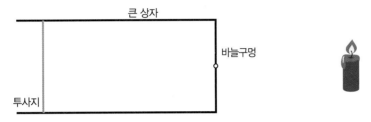

3 바늘구멍 사진기에 구멍을 2개 뚫으면 촛불이 어떻게 보일지 적어보세요.

STEAM
4 다음은 구부러진 유리관 속에서 빛이 끊어지지 않고 계속 직진하는 광섬유의 모습입니다. 빛이 효과적으로 전달되는 광섬유를 어디에 사용하면 좋을지 적어보세요.

▲ 광섬유   빛의 진행 방향

전반사

Ⅳ 화산과 지진

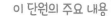

이 단원의 주요 내용

화산 활동으로 생기는 다양한 물질을 알고,
화산 활동으로 생기는 암석인 화강암과 현무암의
생성 과정 및 특징을 알아본다. 화산 활동과 지진이
우리 생활에 미치는 영향과 지진 발생 시
안전한 대처 방법을 알아본다.

⭐ 2015 개정 교육과정 교과서

　초등 3~4학년 군 :

　　　4학년 2학기 4단원 화산과 지진

⭐ 다른 학년과의 연계

　초등 3~4학년 군 : 지표의 변화,

　　　　　　　지층과 화석, 지구의 모습

　중학교 1~3학년 군 : 지권의 변화

마그마가 지표면을 뚫고

07 분출하는 화산

개념 더하기

● **한반도의 화산 활동**

중생대 백악기에는 한반도에서 화산 활동이 활발하였으나 현재 화산으로 뚜렷한 모양을 갖추고 있는 것은 백두산, 울릉도, 한라산 3개이다.

● **바닷속에서 일어나는 화산 분출**

해저 화산은 전 세계에 약 200개 정도 있으며, 그중에서 25 %가 화산섬을 탄생시켰으나 파도의 침식 등으로 대부분 사라졌다.

용어 풀이

☑ **분화구**(뿜을 噴, 불 火, 입 口)
땅속 마그마가 땅의 약한 부분을 뚫고 땅 위로 분출되는 곳

☑ **수증기**(물 水, 데울 蒸, 기체 氣)
물의 기체 상태

정답

ⓐ 산 ⓑ 화산재, 화산 암석 조각 ⓒ 용암
ⓓ 화산 가스

---

1 세계 여러 곳의 화산

1. 화산

땅속 깊은 곳에서 암석이 높은 열에 의해 녹아 생성된 마그마가 분출하여 생긴 지형

2. 세계 여러 곳의 화산 조사하기

① 세계 여러 곳의 화산

- 한라산 : 납작한 산 모양이고, 꼭대기에 움푹 들어간 웅덩이(백록담)가 있다.
- 백두산 : 산이 높고, 꼭대기에 큰 호수(천지)가 있다.
- 다이아몬드헤드 산 : 산 정상이 움푹 파여 있고, 산 정상 한쪽 면이 깎여 있다.
- 에트라 에일 산 : 윗부분이 평평하고 연기가 뿜어져 나온다.
- 후지 산 : 산의 경사가 급하고 산 정상이 깎여 있다.

▲ 한라산　　▲ 백두산　　▲ 다이아몬드헤드 산　　▲ 에트라 에일 산　　▲ 후지 산

② 화산의 특징

- 대부분 ⓐ＿＿ 모양이지만, 생김새가 다양하다.
- 화산 꼭대기에는 분화구가 있는 것도 있으며, 이 분화구에 물이 고여 호수나 물웅덩이가 생기기도 한다. **예** 백두산 천지, 한라산 백록담 등

2 화산이 분출할 때 나오는 물질

1. 화산이 분출할 때 나오는 물질

① 화산 분출 모습

- 용암이 흐르고 연기가 난다.
- 먼지 같은 것이 나오고 돌덩어리가 날아온다.
- 화산 주변에 산불이 나고 김이 난다.

② 화산 분출물 : 화산이 분출할 때 나오는 물질

고체 상태	ⓑ＿＿＿＿＿, 화산 암석 조각
액체 상태	ⓒ＿＿＿＿ : 마그마가 지표면을 뚫고 나온 것
기체 상태	ⓓ＿＿＿＿＿ : 대부분 수증기이며 여러 가지 기체가 약간 포함되어 있다.

③ 화산 분출물의 특징

구분	화산재	화산 암석 조각	용암	화산 가스
모습				
색깔	회색, 갈색	갈색	검붉은 색	흰색, 회색
모양	고운 가루처럼 보인다.	둥글고 넓적하다.	녹은 초콜릿처럼 보인다.	연기나 구름처럼 보인다.
기타	땅을 뒤덮는다.	크기가 다양하다.	매우 뜨겁다.	계속 나온다.

3 화산 활동 모형

1. 화산 활동 모형 만들기

나타내고 싶은 화산의 특징	용암이 바다로 흐르고 있는 섬이다. 화산 가스가 많이 나온다.
재료로 사용할 수 있는 것	찰흙, 점토, 우드록, 페트병, 비닐봉지 등
화산 모형을 나타내는 방법	페트병 윗부분을 잘라서 세우고 겉에 점토를 붙여 산 모양을 만든다. 비닐봉지로 화산 가스를 표현한다.
화산 표면의 특징	용암이 흐르고, 검게 탄 나무가 있다.
화산 주변의 모습	바다가 있다. 다른 섬이 있다.

2. 화산 활동 모형과 실제 화산의 비교

구분	화산 활동 모형	실제 화산
공통점	화산의 모양이 다양하다.	
차이점	• 화산의 규모가 실제 화산보다 ⓐ____다. • 용암이 뜨겁지 않다.	• 화산의 규모가 화산 활동 모형보다 매우 크다. • 실제 용암은 매우 ⓑ_____다.

★ 더 알아보기   폼페이의 최후

폼페이는 약 2,000년 전인 서기 79년에 이탈리아의 베수비오 화산 분출로 3일 만에 완전히 자취를 감춘 도시이다. 화산재와 용암이 당시 가장 번성한 상업과 농업의 중심지였던 폼페이를 한순간에 뒤덮어 2,000명이 목숨을 잃었다.

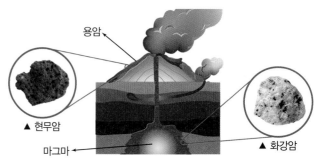

07 분출하는 화산

개념 더하기

● **현무암과 화강암이 다른 이유**

• **알갱이의 크기**: 생성 장소가 달라 마그마가 식는 빠르기가 다르기 때문이다.

• **알갱이의 색**: 암석을 구성하고 있는 성분이 다르기 때문이다. 현무암은 철과 마그네슘의 함유량이 많아 어두운 색을 띤다.

● **현무암 겉 표면에 구멍이 있는 이유**

현무암이 만들어질 때 지표로 분출된 마그마가 빨리 식어 마그마에 있던 기체가 빠져나가지 못하면 기체가 갇혀 있던 곳에 크고 작은 구멍이 생긴다.

용어 풀이

☑ **표면(겉 表, 모양 面)**
사물의 가장 바깥쪽

☑ **생성(날 生, 이룰 成)**
사물이 생기거나 사물이 생겨 이루어지는 것

정답
ⓒ 화강암
ⓔ 현무암 ⓑ 현무암

---

4 현무암과 화강암

1. 화성암

① ⓐ_____ : 마그마가 식어서 만들어진 암석

② 현무암과 화강암이 대표적인 화성암이다.

③ 우리 주변의 여러 곳에서 볼 수 있다. **예** 제주도 용두암, 북한산 인수봉 등

2. 현무암과 화강암의 특징 관찰하기

구분	현무암	화강암
모습		
색깔	어두운색(검은색, 진한 회색)	밝은색(회색)
알갱이의 크기	맨눈으로 구별하기 어려울 정도로 작다.	알갱이의 종류가 여러 가지이며 대체로 눈으로 구별할 정도로 크다.
촉감	거칠거칠하다.	거칠거칠한 부분도 있고 매끈한 부분도 있다.
기타	• 겉 표면에 구멍이 뚫려 있다. • 겉 표면에 구멍이 없는 것도 있다.	• 밝은 바탕에 검은 알갱이가 보인다. • 알갱이가 반짝거린다.
공통점	암석 표면이 거칠거칠하고, 화산과 마그마의 활동으로 만들어졌다.	

3. 현무암과 화강암의 생성 과정 알아보기

① ⓑ_____ : 마그마가 땅 위로 분출하거나 지표 가까운 곳에서 비교적 빨리 식는다.

➡ 알갱이의 크기가 작고 구멍이 있다.

② ⓒ_____ : 마그마가 땅속 깊은 곳에서 서서히 식어 굳는다.

➡ 알갱이의 크기가 크고 구멍이 없다.

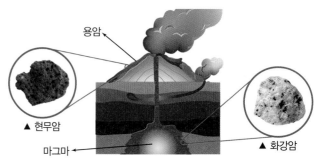

용암

▲ 현무암

마그마

▲ 화강암

5 화산과 우리 생활

1. 최근에 일어난 화산 활동

일본 온타케 산(2014)	등산객들이 화산재에 파묻히거나 질식했다.
멕시코 포포카테페틀산(2016)	바람에 날린 화산재로 인해 푸에블라 국제공항이 임시 폐쇄되었다.
인도네시아 시나붕 산(2016)	화산재가 덮쳐 사망 7명, 중상 2명 등 인명 피해가 생겼다.

2. 화산 활동과 우리 생활과의 관계

① 화산 활동으로 인한 피해
- 가옥이 부서지고 농경지가 용암이나 화산재에 묻힌다.
- 산불이나 산사태 등이 일어나 재산 피해를 입힌다.
- 화산재가 ⓐ_____을 가려 동식물에게 피해를 준다.
- 화산 먼지가 비행기 엔진을 망가뜨려 비행기 운항을 어렵게 만들기도 한다.

② 화산 활동이 주는 이로운 점
- 화산 활동으로 만들어진 특이한 지형은 관광지로 이용된다. 예 제주도 용두암 등
- 화산 활동으로 생긴 암석을 이용하여 관광 상품을 만든다. 예 돌하르방 등
- 온천이나 지열 발전소에 이용된다.
- 화산이 분출할 때 나오는 ⓑ_____는 오랜 시간이 지나면 농토를 비옥하게 한다.

▲ 화산 분출에 의한 산불

▲ 화산재에 묻힌 마을

▲ 제주도 용두암

▲ 온천

▲ 지열 발전소

3. 화산 활동으로 인한 피해를 줄이는 방법

① 화산이 언제 분출하는지에 대한 정확한 예측이 필요하므로, 화산 활동을 감지할 수 있는 과학 기술이 발달해야 한다.

② 정확한 예측과 함께 사람들에게 경고하고 ⓒ_____하는 체계가 있어야 한다.

★ 생활 속 과학 세계 자연 유산, 제주특별자치도

2007년 제주특별자치도의 화산섬(성산 일출봉), 용암 동굴, 한라산이 빼어난 경관과 독특한 지질 환경으로 세계 자연 유산으로 공식 등재되었다.

▲ 한라산

▲ 성산 일출봉

▲ 만장굴

개념 더하기

● 화산재

화산재에는 식물이 자랄 때 필요한 많은 양의 각종 영양분이 포함되어 있다. 화산재가 오랜 시간이 지나 풍화되면, 토양을 비옥하게 만든다. 폼페이의 베수비오 화산 밑에서 올리브와 오렌지를 기르고, 필리핀이나 인도네시아 화산 근처에는 쌀 농사를 짓는 논이 있다.

● 간헐천

화산 지대에서 볼 수 있는 온천으로, 지하 깊은 곳에 있는 뜨거운 물이나 수증기, 기체 등이 일정한 간격으로 분출한다.

용어 풀이

☑ 지열(땅 地, 열 熱) 발전소
땅속의 높은 열을 이용하여 전기를 만드는 발전소

☑ 비옥(살찔 肥, 기름질 沃)
땅이 기름지고 양분이 많음

정답

ⓐ 햇빛 ⓑ 화산재 ⓒ 대피

개념기르기

01 다음 그림의 한라산에 대한 설명으로 옳지 <u>않은</u> 것을 <u>모두</u> 고르시오. (　,　)

① 경사가 완만하다.
② 납작한 산 모양이다.
③ 연기가 뿜어져 나오고 있다.
④ 꼭대기에 움푹 들어간 웅덩이가 있다.
⑤ 산 정상의 한쪽 면이 깎여 나간 것처럼 보인다.

02 다음 〈보기〉 중 화산의 특징으로 옳은 것을 모두 고른 것은 어느 것입니까? (　　)

> **보기**
> ㉠ 생김새가 다양하다.
> ㉡ 모두 화산 꼭대기에 분화구가 있다.
> ㉢ 분화구에 물이 고여 호수가 생기기도 한다.

① ㉡
② ㉠, ㉡
③ ㉠, ㉢
④ ㉡, ㉢
⑤ ㉠, ㉡, ㉢

03 다음 중 화산이 분출할 때 나오는 물질이 <u>아닌</u> 것은 어느 것입니까? (　　)

① 용암
② 밀가루
③ 화산재
④ 화산 가스
⑤ 화산 암석 조각

04 다음 중 화산이 분출할 때 나오는 물질과 그 물질의 상태를 바르게 연결한 것은 어느 것입니까? (　　)

① 용암 – 고체
② 화산재 – 고체
③ 화산 가스 – 액체
④ 화산 암석 조각 – 액체
⑤ 화산재, 화산 가스 – 기체

05 다음은 화산에서 가스가 분출되는 모습입니다. 이에 대한 설명으로 옳은 것은 어느 것입니까? (　　)

① 밀가루 모양이다.
② 검붉은 색을 띤다.
③ 조각 중에 큰 것도 있다.
④ 하늘로 올라간 후 눈처럼 내린다.
⑤ 가장 많은 부분을 차지하는 것은 수증기이다.

06 다음 중 화산 활동 모형과 실제 화산을 비교했을 때 비슷한 점으로 옳은 것은 어느 것입니까? (　　)

① 화산 가스의 성분
② 용암의 뜨거운 정도
③ 다양한 화산의 모양
④ 화산이 분출하는 시간
⑤ 화산 모형과 실제 화산의 크기

07 다음 암석에 대한 설명으로 옳지 <u>않은</u> 것은 어느 것 입니까? ( )

① 알갱이가 반짝거린다.
② 겉 표면에 구멍이 뚫려 있다.
③ 마그마가 서서히 식어서 만들어졌다.
④ 알갱이의 크기를 눈으로 구별할 수 있다.
⑤ 만져 보면 거칠거칠하고, 매끈한 부분도 있다.

08 다음 그림은 화산이 분출하는 모습이고, (가)와 (나)는 화산 활동으로 만들어진 암석입니다. 이에 대한 설명으로 옳은 것을 모두 고른 것은 어느 것입니까?
( )

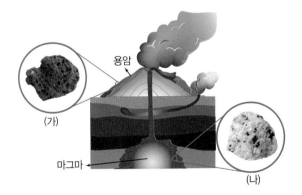

보기
㉠ (가)는 화강암, (나)는 현무암이다.
㉡ (나)는 지하 깊은 곳에서 빨리 식는다.
㉢ (나)는 (가)보다 알갱이의 크기가 크다.
㉣ (가)는 (나)보다 색이 더 어둡다.

① ㉠, ㉡   ② ㉠, ㉢
③ ㉡, ㉢   ④ ㉡, ㉣
⑤ ㉢, ㉣

09 다음은 제주도에 있는 용두암의 모습입니다. 화산과 마그마 활동으로 만들어진 이 암석의 종류는 어느 것 입니까? ( )

① 화강암   ② 사암
③ 이암   ④ 현무암
⑤ 석회암

10 다음 중 화산 활동으로 인한 피해와 화산 활동이 주는 이로운 점을 바르게 구분한 것은 어느 것입니까?
( )

보기
㉠ 화산재가 햇빛을 가린다.
㉡ 화산재가 비행기 운항을 어렵게 만든다.
㉢ 화산 활동으로 만들어진 특이한 지형과 암석을 관광지로 만든다.
㉣ 땅속의 뜨거운 열을 이용해 온천이나 지열 발전 에 이용한다.

	피해	이로운 점
①	㉠, ㉡	㉢, ㉣
②	㉠, ㉢	㉡, ㉣
③	㉠, ㉣	㉡, ㉢
④	㉡, ㉢	㉠, ㉣
⑤	㉢, ㉣	㉠, ㉡

화산은 무엇인가요?

▼

화산이 분출하기 전에 땅의
흔들림은 어떻게 변할까요?

▼

지하 깊은 곳에 있던 마그마가
지표면 가까이로 올라오면
어떤 현상이 나타날까요?

01 최근 휴화산인 후지 산이 분출할 가능성이 있다는 기사가 나왔습니다. 휴화산은 화산 활동을 잠시 멈추고 있는 화산으로, 언제든지 다시 분출할 가능성을 가지고 있는 화산입니다. 화산이 분출하기 전에 나타나는 현상과 그 이유를 <u>두 가지씩</u> 적어보세요.

손에 잡히는 문제 해결

화산이 분출할 때 나오는
물질은 무엇인가요?

▼

화산 분출물 중 사람의 형태를 잘
보존할 수 있는 것은 무엇인가요?

▼

사람의 형태가 잘 보존되기
위한 조건은 무엇인가요?

02 다음은 이탈리아의 폼페이 지역에서 발견된 사람의 형태가 그대로 남아 있는 모습의 사진입니다. 폼페이는 약 2,000년 전 베수비오 화산 분출로 사라진 도시입니다. 큰 화산 분출이 일어났지만, 사람의 형태가 그대로 남아 있을 수 있었던 이유를 적어보세요.

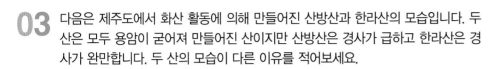

03 다음은 제주도에서 화산 활동에 의해 만들어진 산방산과 한라산의 모습입니다. 두 산은 모두 용암이 굳어져 만들어진 산이지만 산방산은 경사가 급하고 한라산은 경사가 완만합니다. 두 산의 모습이 다른 이유를 적어보세요.

 ▲ 산방산

▲ 한라산

화산의 모양

손에 잡히는 문제 해결

화산은 어떻게 만들어지나요?

산방산처럼 경사가 급한 화산의 용암은 점성이 어떠할까요?

한라산처럼 경사가 완만한 화산의 용암은 점성이 어떠할까요?

04 다음은 화산 활동으로 만들어진 현무암과 화강암을 편광 현미경으로 관찰한 모습입니다. 현무암은 대부분 비슷한 색깔의 작은 알갱이들로 이루어져 있지만 화강암은 여러 가지 색깔의 큰 알갱이들로 이루어져 있습니다. 현무암과 화강암을 이루는 알갱이의 크기가 다른 이유를 적어보세요.

▲ 현무암

▲ 화강암

손에 잡히는 문제 해결

현무암과 화강암은 어떻게 만들어지나요?

마그마가 식는 속도와 알갱이의 크기는 어떤 관계가 있을까요?

현무암과 화강암이 만들어질 때 마그마가 식는 속도는 어떠한가요?

STEAM

- ✓ **Science**
  - ▶ 화산
- ✓ **Technology**
  - ▶ 화산 피해
- ☐ **Engineering**
- ☐ **Art**
- ☐ **Mathmatics**

화산 분출 시 가장 위험한 것은?

화산이 분출하면 화산 구름 기둥이 수 km에서 최대 45 km까지 치솟는다. 높이 올라간 것은 바람을 타고 날아가 기후 변화에 영향을 주기도 하지만, 인체에는 직접적인 피해를 주진 않는다.

화산 분출 시 가장 큰 피해를 주는 것은 구름 기둥이 1~5 km 올라가다가 와르르 무너지면서 산비탈을 타고 주변으로 흩어지는 현상이다. 이것은 용암과 기존 암석이 크고 작은 파편으로 부서진 채 화산 가스와 한 덩어리가 된 것으로, 화산쇄설류라고 한다. 화산쇄설류 다음으로 위험한 것은 분출물들이 물과 함께 흘러내리는 화산성 홍수인 라하르다. 라하르는 경사면을 따라 시속 100 km로 흐르기 때문에 주변을 휩쓸어 버린다. 이산화 황과 같은 유독성 화산 가스도 위협적이다. 가스가 골짜기를 덮치면 머물던 원주민들이 진폐증을 일으키거나 질식사하는 경우가 종종 발생했다. 다량으로 나온 화산재가 지붕에 수십 cm 두께로 쌓이면 전통가옥들이 무게를 못 이기고 붕괴하면서 사상자가 발생하는 경우도 많다.

화산쇄설류

1 암석이 녹아 생성된 마그마는 지구 내부에 존재합니다. 이러한 마그마가 지각의 약한 틈을 뚫고 짧은 시간 동안 한꺼번에 지표 밖으로 뿜어져 나오는 현상을 무엇이라고 하나요?

용어 풀이

✓ **진폐증(티끌 塵, 허파 肺, 증상 症)**
폐에 작은 가루(분진)가 달라붙어 폐에 염증이 생기고 딱딱하게 굳어져 호흡 기능에 장애를 일으키는 병

2 라하르는 화산이 분출된 후 퇴적된 화산암괴나 화산재가 흐르는 물에 섞여서 쓸려 내려가는 현상입니다. 라하르가 적은 양의 비나 물에서도 발생하는 이유를 추리하여 적어보세요.

손에 잡히는 STEAM

라하르는 무엇인가요?

↓

산에서 빗물이 잘 흘러내리는 곳은 어떤 특징이 있나요?

↓

화산 지역에 나무, 풀, 퇴적물은 어떤 모습인가요?

3 화산 분출 시 가장 큰 피해를 주는 것은 화산쇄설류입니다. 용암과 기존 암석의 작은 파편과 화산 가스로 이루어진 화산쇄설류가 화산 분출 시 가장 위험한 이유를 두 가지 적어보세요.

손에 잡히는 STEAM

화산쇄설류는 무엇인가요?

↓

화산쇄설류가 흘러내려 오는 빠르기는 어떠할까요?

↓

화산쇄설류의 온도는 어떠할까요?

지층이 끊어지거나 화산 분출 등에 의해

08 흔들리는 땅

개념 더하기

● **최근 우리나라에서 발생한 지진**
• 강원도 평창 : 2007년 1월 20일, 규모 4.8
• 경북 울진 : 2004년 5월 29일, 규모 5.2
• 경북 경주 : 2016년 9월 12일, 규모 5.8
• 경북 포항 : 2017년 11월 15일, 규모 5.4

● **지진이 자주 발생하는 지역**
• 지진은 전 지구 상에서 고르게 분포하는 것이 아니라 지진이 자주 발생하는 곳은 특정한 지역을 따라 띠 모양을 이루고 있다. 띠 모양을 이루면서 지진이 많이 발생하는 지역을 지진대라고 한다.
• 태평양 주변은 특히 지진과 화산이 자주 일어나는 곳으로, 둥근 모양으로 분포하고 있어 환태평양 지진대라고 한다.

용어 풀이

☑ **지진(땅 地, 흔들릴 震)**
땅이 흔들리는 현상

☑ **이재민(걸릴 罹, 재앙 災, 백성 民)**
재해를 입은 사람

정답

ⓓ 커진

ⓐ 지진 ⓑ 규모 ⓒ 커진

1 최근 발생한 지진 조사

1. 지진

① ⓐ_____ : 땅이 흔들리는 현상으로 지층이 끊어지거나 화산 분출 등에 의해서 발생한다.

② ⓑ_____ : 지진의 세기를 나타내는 단위로, 숫자가 클수록 큰 지진이다.

2. 최근에 발생한 지진

① 최근에 발생한 지진 조사 계획 세우기

조사 계획	조사 기간, 조사 내용, 조사 방법, 역할 분담, 발표 방법 등
조사 내용	지진 발생 일시, 지진 발생 장소, 지진의 규모, 지진으로 인한 피해 정도
조사 방법	신문이나 인터넷 등을 통하여 지진 관련 기사를 모은다.

② 최근 지진 발생 지역

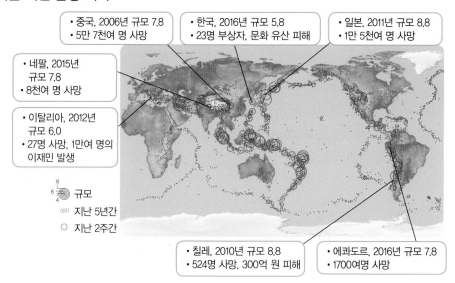

• 중국, 2006년 규모 7.8
• 5만 7천여 명 사망

• 한국, 2016년 규모 5.8
• 23명 부상자, 문화 유산 피해

• 일본, 2011년 규모 8.8
• 1만 5천여 명 사망

• 네팔, 2015년 규모 7.8
• 8천여 명 사망

• 이탈리아, 2012년 규모 6.0
• 27명 사망, 1만여 명의 이재민 발생

규모
⋯ 지난 5년간
○ 지난 2주간

• 칠레, 2010년 규모 8.8
• 524명 사망, 300억 원 피해

• 에콰도르, 2016년 규모 7.8
• 1700여명 사망

③ 지진 조사를 통해 알게 된 점
• 지진이 자주 일어나고 있으며, 지진으로 인한 피해가 크다.
• 세계 여러 곳에서 지진이 발생했고, 우리나라에서도 지진이 발생했다.

3. 지진의 규모에 따른 피해 정도

① 일반적으로 규모가 클수록 피해 정도도 ⓒ_____ 다.

② 지진 발생 지역으로부터 가까울수록 피해 정도가 ⓓ_____ 다.

③ 지진 대비 정도, 지진 경보 시기, 도시화 정도 등 여러 가지 요인에 따라 피해 정도가 다르다.

2 지진의 발생 원인

1. 휘어지고 끊어진 지층

휘어진 지층(습곡)	끊어진 지층(단층)
	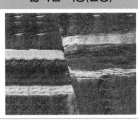

지층이 휘어지거나 끊어진 것은 지구 내부의 커다란 힘이 작용하였기 때문이다.

2. 지진 발생 모형

★탐구 **지진 발생 원인 알아보기**

탐구 과정
① 우드록의 양 끝을 손으로 잡고 천천히 밀면서 관찰한다.
② 우드록을 점점 세게 밀면서 관찰한다.

▲ 우드록을 약하게 밀 때

▲ 우드록을 세게 밀 때

탐구 결과 및 결론
① 우드록을 약하게 밀면 우드록이 ⓐ_____ 지고, 가운데 부분이 볼록하게 올라온다.
② 우드록을 세게 밀면 처음에는 휘어지다가 더 세게 밀면 ⓑ_____ 진다.
③ 우드록이 끊어질 때 소리가 나고, 우드록의 끊어진 부분과 우드록을 잡고 있던 손이 떨린다.

3. 지진 모형실험과 실제 지진 비교하기

지진 모형실험	우드록	우드록을 양쪽에서 미는 힘	우드록이 끊어질 때 떨림
실제 지진	ⓒ_____	지구 내부에서 작용하는 힘	ⓓ_____

4. 지진의 발생 원인
땅속에서 지층이 큰 힘을 받으면 휘어지다가 끊어지면서 땅이 흔들리는 ⓔ_____ 이 발생한다.

08 흔들리는 땅

개념 더하기

3 지진의 피해를 줄이는 방법

1. 지진이 발생하기 전에 해야 할 일

① ⓐ_____ 설계에 의하여 건물을 짓는다.

② 무거운 물건은 ⓑ_____ 쪽으로 내려놓는다.

③ 구급약품, 비상식량, 손전등, 라디오 등을 준비한다.

2. 지진이 발생했을 때 대피하는 방법

● 지진이 일어나는 시간

지진이 지속되는 시간은 15초에서 길어야 몇 분이다. 하지만 이 짧은 시간에 도시가 무너지고 건물이 쓰러지며 수천 명이 목숨을 잃는다. 따라서 지진이 일어나면 침착하게 행동하는 것이 가장 중요하다.

집 안에 있을 때	• 책상 밑에서 책상 다리를 꼭 잡는다. • 방석으로 머리를 보호한다. • 불을 끄고 가스 밸브를 잠근다.	
빌딩 안에 있을 때	• 책상이나 탁자 밑으로 빨리 대피한다. • 창문이나 발코니로부터 멀리 떨어진다. • 엘리베이터를 이용하지 않고, 비상 계단을 이용한다.	
백화점, 극장, 지하에 있을 때	• 극장에서 지진을 느끼면 좌석에서 즉시 머리를 감싸고 진동이 멈출 때까지 그대로 앉아 있는다. • 안내자의 지시를 잘 따르고 출구나 계단으로 급히 몰려가지 않는다. • 지하 시설물은 안전하지만 정전이나 침수 등에 대처해야 한다.	
학교에 있을 때	• 책상 밑에 들어가 몸을 웅크린다. • 넘어지는 선반이나 책장으로부터 멀리 피하여 몸을 보호한다. • 선생님의 지시에 따라 행동하면서 침착하게 운동장으로 대피한다.	
지하철을 타고 있을 때	• 고정된 물체를 꽉 잡는다. • 문을 열고 뛰어내리면 지나가는 차량에 치이거나 고압선에 감전되는 등의 사고가 발생할 수 있으므로 주의한다. • 차내 안내 방송에 따라서 움직인다.	
등산이나 여행 중일 때	• 산사태나 절벽이 무너질 우려가 있으므로 주의한다. • 라디오, 자체 방송, 안내 요원의 지시에 따라 신속히 대피한다. • 해안에서 지진 해일 특보가 발령되면 높은 지역이나 해안에서 먼 곳으로 빨리 대피한다.	

3. 지진이 발생한 후 해야 할 일

① 서로 다친 곳이 없는지 살펴본다.

② 휴대용 라디오 등으로 방송을 들으면서 상황을 살펴본다.

③ ⓒ_____이 더 발생할 수 있으므로 지진에 계속 대비해야 한다.

용어 풀이

☑ **내진(견딜 耐, 지진 震) 설계**
건물의 특성, 지진의 특성, 땅의 특성을 고려하여 지진에 안전한 건물을 설계하는 것

☑ **여진(남을 餘, 지진 震)**
큰 지진이 일어난 후 얼마동안 잇따라 일어나는 작은 지진

정답

ⓐ 내진 ⓑ 아래 ⓒ 여진

4 지진 연구 센터

1. 지진 연구 센터에서 하는 일
① 지진계를 설치하고 지진 현상을 분석한다.
② 지진을 예측하고 조기 경보 시스템을 연구한다.

2. 지진 관측 기기
① 세계 최초의 지진 관측 기기, 후풍지동의 : 지진이 일어나면 그 방향의 여의주가 떨어져
   지진이 일어난 ⓐ_____을 알려준다.
② ⓑ_____ : 지진이 발생하면 움직이지 않는 추가 지표면의 움직임을 기록한다.

▲ 후풍지동의　　▲ 수평지진계　　▲ 수직지진계

● 지진 관측소의 지진계 설치
한 대의 수직지진계와 서로 수직인 두 대의 수평지진계를 설치하여 지진을 입체적으로 기록하고 분석한다.

★더 알아보기　규모와 진도

- **규모** : 지진이 일어날 때 방출되는 에너지 양을 나타내는 것으로, 지진 자체의 크기를 나타낸다.
- **진도** : 지진이 발생했을 때 생기는 피해를 등급으로 나타낸 것이다.
- **규모와 진도별 피해 정도**

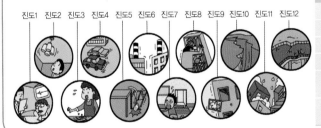

진도1 진도2 진도3 진도4 진도5 진도6 진도7 진도8 진도9 진도10 진도11 진도12

규모	진도	피해
1.0~2.9	1	사람이 느낄 수 없다.
3.0~3.9	2~3	실내에서 느낄 수 있다.
4.0~4.9	4~5	그릇이나 창문 등이 깨진다.
5.0~5.9	6~7	모든 사람이 느낀다.
6.0~6.9	8~9	무거운 가구가 넘어지고 지표면에 금이 간다.
7.0 이상	9 이상	지표면이 갈라지고 다리가 부서진다.

★더 알아보기　지진의 예측은 가능한가?

- 현재의 과학으로는 지진 예측이 불가능하다. 지진 발생 전에 지진파의 속력, 지표면의 높이, 라돈 가스 방출, 전기 저항 값, 지진 활동 비율 등에 변화가 발생한다고 알려져, 이를 바탕으로 예측을 했지만 대부분은 실패했다.
- **지진 예측 성공 사례** : 1975년 2월 4일 중국 만주 지역의 하이청 지방정부에서는 이 지역에서 24시간 내에 강력한 지진이 발생할 증거가 충분하다고 판단하여, 이 일대 도시의 주민들에게 건물 밖에서 거주하도록 지시하였다. 저녁 7시 36분 규모 7.3의 지진이 발생하여 10만 명 이상의 목숨을 구했다.

용어 풀이

☑ **진도**(흔들릴 震, 정도 度)
지진이 일어났을 때 사람이 느끼는 정도

정답

ⓐ 위치　ⓑ 지진계

01 다음 중 지진의 규모에 대한 설명으로 옳은 것은 어느 것입니까? ( )

① 지진의 세기를 나타내는 단위이다.
② 규모의 숫자가 작을수록 강한 지진이다.
③ 지진의 피해 정도를 숫자로 나타낸 것이다.
④ 지진이 발생한 장소까지의 거리를 나타낸 것이다.
⑤ 지진에 의한 인명 피해 정도를 나타낸 것이다.

02 다음 〈보기〉는 최근에 발생한 지진에 대해 조사할 내용을 나열한 것입니다. 조사 내용으로 옳은 것을 모두 고른 것은 어느 것입니까? ( )

보기
㉠ 지진 발생 일시
㉡ 지진 발생 장소
㉢ 조사한 내용의 발표 방법
㉣ 지진으로 인한 피해 정도

① ㉠, ㉡
② ㉠, ㉢
③ ㉡, ㉢
④ ㉠, ㉡, ㉢
⑤ ㉠, ㉡, ㉣

03 다음 중 같은 규모의 지진이라도 피해 정도가 다른 이유로 옳지 <u>않은</u> 것은 어느 것입니까? ( )

① 도시화 정도에 따라
② 지진을 경보한 시기에 따라
③ 지진에 대비한 정도에 따라
④ 지진 발생 지역과의 거리에 따라
⑤ 지역에 따라 규모의 기준이 달라서

04 다음 (가), (나)에 대한 설명으로 옳은 것을 〈보기〉에서 모두 고른 것은 어느 것입니까? ( )

(가)   (나)

보기
㉠ (가)는 휘어진 지층인 단층이다.
㉡ (나)는 끊어진 지층인 습곡이다.
㉢ (가)와 (나)는 지구 내부의 커다란 힘을 받아 변한 것이다.

① ㉢
② ㉠, ㉡
③ ㉠, ㉢
④ ㉡, ㉢
⑤ ㉠, ㉡, ㉢

05 다음은 우드록의 양 끝을 손으로 잡고 가운데로 힘을 주어 미는 모습입니다. 세게 밀었을 때 우드록이 변하는 모습으로 옳은 것은 어느 것입니까? ( )

① 아무런 변화가 없다.
② 우드록가 휘어지기만 한다.
③ 우드록의 길이가 줄어든다.
④ 우드록이 휘어지다가 끊어진다.
⑤ 우드록의 가운데 부분이 위아래로 볼록해진다.

06 다음 중 우드록을 사용한 지진 발생 모형 실험과 실제 자연 현상을 바르게 비교한 것은 어느 것입니까? ( )

	지진 발생 모형 실험	실제 자연 현상
①	우드록	지진
②	손으로 미는 힘	지진
③	손으로 미는 힘	지구 내부의 힘
④	우드록이 끊어질 때 떨림	지구 내부의 힘
⑤	우드록이 끊어질 때 떨림	지층

07 다음 〈보기〉 중 지진에 대비하여 지진이 발생하기 전에 미리 준비해야 할 물건을 모두 고른 것은 어느 것입니까? ( )

보기
ㄱ 손전등   ㄴ 라디오
ㄷ 장난감   ㄹ 비상식량
ㅁ 구급약품   ㅂ 영어사전

① ㄱ, ㄹ, ㅁ
② ㄱ, ㄷ, ㅁ
③ ㄴ, ㄷ, ㅂ
④ ㄱ, ㄴ, ㄹ, ㅁ
⑤ ㄴ, ㄷ, ㄹ, ㅂ

08 다음 중 지진이 발생했을 때 대피하는 방법으로 옳은 것은 어느 것입니까? ( )

① 가스불을 켜서 대피할 때 먹을 음식을 준비한다.
② 몸이 잘 보이도록 창문에 붙어 구조를 요청한다.
③ 집 안에서는 침대나 탁자 밑으로 들어가 있는다.
④ 높은 건물에서는 엘리베이터를 이용하여 최대한 빨리 내려간다.
⑤ 학교에서는 선생님의 지시에 따라 행동하고 운동장에서 멀리 떨어진다.

09 지하철을 타고 있을 때 지진이 발생했다면 〈보기〉 중 가장 바르게 행동한 사람을 모두 고른 것은 어느 것입니까? ( )

보기
• 예은 : 차내 안내 방송에 따라서 움직인다.
• 유건 : 문을 열고 뛰어 내린다.
• 유준 : 지하철 내의 고정된 물체를 꽉 잡는다.

① 예은
② 유건
③ 유준
④ 예은, 유건
⑤ 예은, 유준

10 다음 중 지진이 발생한 후 해야 할 일로 옳지 <u>않은</u> 것을 <u>모두</u> 고르시오. (,)

① 여진에 대비한다.
② 방석 등으로 머리를 보호한다.
③ 서로 다친 곳이 없는지 살펴본다.
④ 라디오를 들으며 상황을 살펴본다.
⑤ 손전등을 가지고 옷장에 숨는다.

11 다음 중 지진 연구 센터에서 하는 일을 <u>모두</u> 고르시오. (,)

① 지진 현상을 분석한다.
② 지진계를 직접 제작한다.
③ 내진 설계로 건물을 짓는다.
④ 지진 피해를 직접 복구한다.
⑤ 지진을 예측하고 조기 경보 시스템을 연구한다.

서술형으로 다지기

손에 잡히는 문제 해결

습곡과 단층의 차이는 무엇인가요?

▼

부드러운 지층과 딱딱한 지층이 힘을 받으면 각각 어떻게 될까요?

부드러운 지층과 딱딱한 지층 중 휘어지기 유리한 지층은 무엇일까요?

01 다음 (가)와 (나)는 지구 내부의 커다란 힘을 받아 만들어진 지층의 모습입니다. 지층이 부드러운 지역과 지층이 딱딱한 지역 중 (가)와 같은 지층이 생길 확률이 더 높은 지역을 고르고, 그 이유를 함께 적어보세요.

(가)

(나)

손에 잡히는 문제 해결

지진이 났을 때 수평지진계에서 움직이지 않는 부분은 어디인가요?

▼

지진이 났을 때 수평지진계에서 움직이는 부분은 어디인가요?

▼

지진계가 왼쪽으로 움직이면 기록지에는 어떤 방향으로 그려지나요?

02 다음은 지진이 일어나 땅이 수평 방향으로 흔들릴 때 펜이 회전 원통의 기록지에 지진을 기록하는 수평지진계입니다. 수평지진계에서 기록지에 기록되는 방향과 지진이 진동하는 방향이 서로 반대인 이유를 적어보세요.

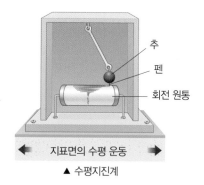

추
펜
회전 원통

◀ 지표면의 수평 운동 ▶

▲ 수평지진계

03 다음은 중국에서 제작된 최초의 지진계인 후풍지동의입니다. 이 지진계는 8마리의 용이 입에 구슬을 물고 있습니다. 지진이 일어나면 용이 물고 있는 구슬이 떨어져 두꺼비 입 속으로 들어가 지진이 일어난 방향을 알려줍니다. 후풍지동의가 지금의 지진계와 비교하였을 때 부족한 점을 <u>두 가지</u> 적어보세요.

후풍지동의

 손에 잡히는 문제 해결

후풍지동의는 지진이 일어났을 때 무엇을 알려 주나요?

↓

지금의 지진계는 지진이 일어났을 때 무엇을 측정하나요?

↓

후풍지동의가 측정할 수 없는 것은 무엇인가요?

04 쓰나미는 바닷속에서 일어난 지진이나 화산 분출에 의해 만들어진 큰 파도가 육지로 밀려오는 현상입니다. 일본은 큰 쓰나미가 육지를 덮쳐 큰 피해가 많이 나지만, 아직까지 우리나라에는 큰 쓰나미가 발생하지 않았습니다. 그 이유를 추리하여 적어보세요.

손에 잡히는 문제 해결

쓰나미는 어떻게 발생하나요?

↓

지진과 화산이 자주 발생하는 지역은 어디인가요?

↓

지진과 화산이 자주 발생하는 지역과 우리나라의 위치 관계를 생각해 봅니다.

융합사고력 키우기

STEAM ✧

☑ **Science**
  ▶ 지진

☑ **Technology**
  ▶ 지진 발생 원인

☐ **Engineering**

☐ **Art**

☐ **Mathmatics**

세계 곳곳 잦은 지진… 일본 대지진 영향?

2013년 5월 20일 칠레 아이센 서부(규모 6.8), 2013년 5월 23일 미국 캘리포니아주 북동부(규모 5.7), 2013년 5월 24일 러시아 동부 사할린(규모 8.2) 등 불과 며칠 사이에 대형 지진이 세계적으로 세 차례나 잇따라 일어났다. 우리나라에서도 2013년 5월에만 백령도 인근 해역에서 발생한 규모 4.9 지진을 포함해 규모 2.0 이상의 지진이 열다섯 번이나 관측됐다.

지진 전문가들은 최근 일어난 지진들이 2011년 일본 도호쿠 대지진의 여파로 불안정해진 땅이 본격적으로 안정을 되찾아가는 과정으로 추정하고 있다. 앞으로 적어도 3, 4년 동안은 크고 작은 규모의 지진이 산발적으로 이어질 가능성이 있다.

2000년대 가장 강력한 지진으로 기록된 2004년 12월 26일 인도양 대지진(해저 규모 9.3)은 발생 이후 5~6년 동안 계속해서 크고 작은 여진을 만들어냈다. 이 같은 초대형 지진은 발생한 지역뿐 아니라 전지구적으로 땅에 힘의 불균형을 초래하기 때문이다.

용어 풀이

☑ **추정(밀 推, 정할 定)**
미루어 생각하여 판정함

☑ **산발(흩을 散, 쏠 發)**
때때로 일어남

☑ **여진(남을 餘, 지진 震)**
큰 지진이 일어난 후 얼마동안 잇따라 일어나는 작은 지진

1 지진이 발생했을 때 지진에 의한 에너지를 측정하여 지진의 절대적인 크기를 나타내는 값은 무엇인가요?

2 백령도, 속리산, 서해 연안, 울진 앞바다 등 국내 여러 곳에서도 예년보다 지진이 자주 발생하고 있습니다. 1970년대 이래 기술의 발달로 우리나라에서 관측되는 지진의 횟수는 늘고 있지만, 이에 비해 사람이 느끼는 지진의 횟수는 거의 늘지 않는다고 합니다. 그 이유를 적어보세요.

손에 잡히는 STEAM

사람이 느낄 수 있는 지진의 규모는 어느 정도 일까요?

▼

지진이 발생한 위치에 따라 사람이 느끼는 정도는 어떻게 달라질까요?

▼

지진의 규모가 사람이 느낄 수 있는 규모보다 작으면 어떻게 느껴질까요?

논술형

3 후쿠시마 원자력발전소 사고를 불러온 2011년 도호쿠 대지진의 규모는 9.0으로 앞으로 3, 4년 동안은 여진이 이어질 것으로 예상하고 있습니다. 초대형 지진이 발생하면 전 지구적으로 몇 년 동안 세계 곳곳에서 계속 지진이 발생합니다. 그 이유를 추리하여 적어보세요.

손에 잡히는 STEAM

여진은 무엇인가요?

▼

초대형 지진이 발생하면 땅에 어떤 영향을 줄까요?

▼

초대형 지진으로 불안정해진 땅이 안정되려면 어떻게 되어야 하나요?

초대형 지진

탐구력 키우기

화산과 암석

시뻘건 용암이 펄펄 끓는 장면은 생각만 해도 아찔하다. 화산이 분출하면 뜨거운 용암이 주위의 모든 것을 녹이고 화산재가 하늘을 가득 메울 것이다. 세계 곳곳에서 끔찍한 화산 분출의 흔적을 찾아볼 수 있다. 실험을 통해 화산 분출 현상을 관찰하고 화산 분출로 만들어지는 암석의 특징을 알아보자.

준비물

유리병, 식초, 소다(탄산수소 나트륨), 붉은색 색소 또는 물감, 찰흙, 종이컵, 검은색 물감 또는 먹물, 주방 세제, 석고 가루, 나무젓가락

탐구 과정

실험 1 ① 유리병에 찰흙을 붙여 산 모양을 만든다.

② 유리병에 식초, 붉은색 색소, 세제를 넣고 골고루 섞는다.

③ 유리병에 소다를 넣고 변화를 관찰한다.

실험 2 ① 종이컵에 식초와 검은색 물감을 넣고 골고루 섞는다.

② 종이컵에 소다와 석고 가루를 넣고 나무젓가락으로 재빨리 저어준다. 떠먹는 요구르트 정도의 묽기가 되도록 석고 가루의 양을 조절한다.

③ 석고가 굳은 후 반으로 잘라 표면과 내부의 모습을 관찰한다.

찰흙

유리병

식초+붉은색 색소+세제

소다

나무젓가락

소다+석고

식초+검은색 물감

주의사항

• 소다(탄산수소 나트륨) 대신 베이킹 파우더를 사용해도 된다.

• **실험 2** 의 과정 ②에서 너무 많이 젓지 않는다.

1 실험 1 에서 유리병에 소다를 넣을 때 일어나는 변화를 적어보세요.

2 실험 2 에서 식초에 석고 가루와 소다를 넣고 저을 때 종이컵 안에서 일어나는 변화를 적어보세요.

3 오른쪽 사진은 제주도에서 흔히 볼 수 있는 현무암의 겉 표면을 나타낸 것입니다. 실험으로 만든 모형과 실제 현무암의 공통점과 차이점을 적어보세요.

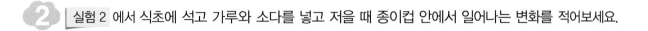

STEAM
4 지구의 겉면인 지각은 판이라고 불리는 여러 개의 조각으로 나누어져 있고, 각 판은 일정한 방향으로 서서히 움직입니다. 백두산과 한라산은 약 1,000년 전에 마지막 화산 분출을 한 후 화산 활동을 하지 않지만, 필리핀과 인도네시아에서는 지금도 화산 활동이 활발하게 일어나고 있습니다. 우리나라와 달리 필리핀과 인도네시아에서 화산 활동이 활발한 이유를 다음 두 지도를 바탕으로 추리하여 적어보세요.

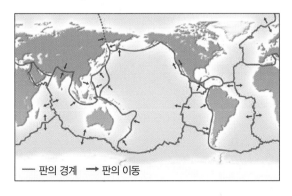

— 판의 경계 → 판의 이동

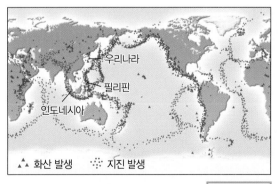

▲ 화산 발생   ⁛ 지진 발생

불의 고리

융합인재교육 STEAM 이란?

- 수학, 과학, 기술, 공학 간 상호 연계성 고려, 학문 간 공통 핵심 요소 중심으로 교육
- 예술적 소양을 함양하고 타 학문에 대한 이해가 깊은 미래형 인재 양성으로 교육

[자료 출처 : 한국과학창의재단]

융합인재교육은 과학기술공학과 관련된 다양한 분야의 융합적 지식, 과정, 본성에 대한 흥미와 이해를 높여 창의적이고 종합적으로 문제를 해결할 수 있는 융합적 소양(STEAM Literacy)을 갖춘 인재를 양성하는 교육이라고 정의하고 있다. 학습자가 실제 문제 상황을 다양하게 설계하고 해결하는 과정을 통해 새로운 개념을 생성하고, 창의적으로 설계하며, 더불어 사는 인성, 즉 사회적 감성을 발달하도록 하는 것이다.
이러한 융합인재교육(STEAM)의 목적은 다음과 같이 정리할 수 있다.

❁ 빠르게 변화하는 사회 변화의 적응력을 높이는 것이다.
❁ 개인의 창의인성, 지성과 감성의 균형 있는 발달을 돕는 것이다.
❁ 타인을 배려하고 협력하며, 소통하는 능력을 함양하는 것이다.
❁ 과학 효능감과 자신감, 과학에 대한 흥미 등을 증진시킴으로써 과학 학습에 대한 동기 유발을 높이는 것이다.
❁ 융합적 지식 및 과정의 중요성을 인식시키는 것이다.
❁ 학습자 중심의 수평적 융합적 교육으로 전환하는 것이다.
❁ 합리적이고 다양성을 인정하는 문화 형성에 기여하는 것이다.
❁ 대중의 과학화를 기반으로 한 합리적인 사회를 구성하는 데 기여하는 것이다.
❁ 창조적 협력 인재를 양성하는 것이다.
❁ 수학, 과학, 기술, 공학 간 상호 연계성 고려, 학문 간 공통 핵심 요소 중심으로 교육
❁ 예술적 소양을 함양하고 타 학문에 대한 이해가 깊은 미래형 인재 양성으로 교육

안쌤의
줄기과학 시리즈

새 교육과정
3~4학년
학기별
STEAM 과학

3-1 **8강**　3-2 **8강**　　　　4-1 **8강**　4-2 **8강**

새 교육과정
5~6학년
학기별
STEAM 과학

5-1 **8강**　5-2 **8강**　　　　6-1 **8강**　6-2 **8강**

새 교육과정
중등 영역별
STEAM 과학

물리학 24강　**화학 16강**　**생명과학 16강**　**지구과학 16강**　　**물리학 워크북**　**화학 워크북**

안쌤이 추천하는
영재교육원 대비 3,4학년 로드맵

STEP
개념+창의력

안쌤의 최상위 초등 줄기과학 시리즈 `학기별 8강, 총 32강`

STEP
문제해결력

안쌤의 창의적 문제해결력 시리즈 `수학 8강, 과학 8강`

STEP
실전테스트

안쌤의 창의적 문제해결력 시리즈 `과학 50제, 수학 50제, 모의고사 4회`

안쌤의
창의적 문제해결력 시리즈

초등 1~2 학년

초등 3~4 학년

초등 5~6 학년

중등 1~2 학년

안쌤의 줄기과학 시리즈

새 교육과정
3~4학년
학기별
STEAM 과학

3-1 **8강** 3-2 **8강**   4-1 **8강** 4-2 **8강**

새 교육과정
5~6학년
학기별
STEAM 과학

5-1 **8강** 5-2 **8강**   6-1 **8강** 6-2 **8강**

새 교육과정
중등 영역별
STEAM 과학

물리학 24강   화학 16강   생명과학 16강   지구과학 16강   물리학 워크북   화학 워크북

새 교육과정 3~4학년 STEAM 과학

초등 **4·2**

안쌤의
최상위
줄기과학

인기 강사
강력 추천 **100**명

정답 및
해설

- 최상위권 학생을 위한
  심화 개념 구성
- 소단원별
  STEAM 융합사고력 키우기
- 단원별
  STEAM 탐구력 키우기

안쌤 영재교육연구소

상위 1%가 되는 길로 안내하는 이정표로,
학생들이 꿈을 이루어갈 수 있도록 콘텐츠 개발과 강의 연구를 하고 있다.

안쌤 영재교육연구소
안재범, 최은화, 유나영, 이상호, 추진희, 오아린, 허재이, 이민숙, 이나연, 김혜진, 김샛별

검수
강동규, 고선양, 김효선, 배정인, 윤명희, 장유진, 전병호, 조은실, 홍정연

인기 강사 100명 강력 추천
강도연, 강미라, 강옥주, 강은영, 강혜정, 고려욱, 곽미영, 김민정, 김보란, 김순정, 김연지, 김영준, 김은선, 김은희, 김정숙, 김정아, 김정애, 김종욱, 김주석, 김형진, 김효선, 노형섭, 문희정, 박노섭, 박선미, 박세언, 박애자, 박우용, 박윤하, 박정연, 박지은, 박진국, 박하나, 박헌진, 배정인, 배혜정, 백광열, 백지연, 변애나, 복주리, 서동진, 서유경, 서윤정, 소선영, 신규숙, 신상희, 신석화, 신현주, 안진희, 엄정연, 염경화, 오고운, 옥정화, 유나영, 유영란, 윤민혜, 윤소희, 윤순주, 이강윤, 이동림, 이미정, 이선영, 이연주, 이영주, 이영훈, 이윤정, 이은덕, 이지영, 이진경, 이혜림, 임선화, 장수진, 장윤희, 장치은, 전익찬, 전진홍, 정동훈, 정보혜, 정수일, 정영숙, 정재은, 정희현, 조영부, 조은실, 조정숙, 지다인, 차규상, 채진희, 최성덕, 최용덕, 최진영, 하영진, 한승철, 한정희, 한지연, 홍금자, 홍영주, 홍정연, 황병문, 황보혜정

정답 및 해설

I 식물의 생활

01 식물의 생김새

개념 기르기   12~13쪽

01 ③	02 ⑤	03 ③	04 ①	05 ③
06 ③	07 ①	08 ③	09 ⑤	10 ④

01 ① 식물을 꺾거나 채집하지 않고 그림을 그리거나 사진으로 찍어 기록한다.
② 식물을 뽑아 다른 곳에 심지 않는다.
④ 모르는 식물은 함부로 냄새를 맡거나 입에 넣지 않는다.
⑤ 수업을 받고 있는 다른 학생에게 피해를 주지 않도록 조용히 활동한다.

02 사는 곳, 줄기의 모양, 꽃 피는 시기, 꽃의 모양과 색깔, 잎의 모양, 잎이 줄기에 붙어 있는 모습 등을 관찰한다.

03 해바라기, 강아지풀, 소나무는 햇빛이 잘 드는 곳에 사는 식물이고, 이끼는 숲속에 사는 식물로 그늘지고 습기가 많은 곳에 산다.

04 고사리는 숲속에 사는 식물로 양지 바르고 습기가 많은 곳에 사는 식물이다. 물 위에 떠서 사는 식물은 개구리밥, 생이가래, 자라풀, 물옥잠 등이 있다.

05 강아지풀은 강아지의 꼬리를 닮았고, 줄기가 가늘고 길며 마디가 있다. 잎은 뾰족하고 가늘며, 길게 늘어져 있다. 한해살이 풀로 산과 들이나 길가에 산다.

06 흰 털로 덮인 열매가 할머니의 하얀 머리카락처럼 보이고, 구부러진 꽃대가 할머니의 굽은 허리를 닮아서 할미꽃이라는 이름이 붙여졌다.

07 분꽃은 옛날에 꽃의 검은색 씨를 갈아 하얀색 가루를 만들어 화장을 해서 붙여진 이름이다.

08 식물 생김새에 따라 이름 붙여진 식물은 할미꽃, 도깨비바늘, 쥐똥나무, 달걀꽃, 팔손이 등이 있고, 식물의 특징에 따라 이름 붙여진 식물은 애기똥풀, 무궁화, 생강나무, 분꽃, 인동초 등이 있다.

09 잎을 생김새에 따라 분류할 때 잎의 전체적인 모양, 잎의 끝 모양, 잎 가장자리 모양 등을 기준으로 한다. 잎의 무게는 잎의 생김새에 따른 분류 기준이 될 수 없다.

10 쑥, 강아지풀, 벚나무, 민들레의 잎은 길쭉한 모양이고, 목련의 잎은 둥근 모양이다.

서술형으로 다지기   14~15쪽

01 **모범답안** 대나무는 속이 비어 있고 일정한 간격으로 마디가 있어 잘 휘어지기 때문이다.
해설 대나무는 따뜻한 지역에 서식하는 여러해살이 풀로, 줄기 속이 비어 있고 겉 부분에는 여러 개의 마디가 있기 때문에 강한 바람이 불어도 휘어질 뿐 꺾이지 않는다. 다른 나무는 속이 꽉 채워져 있기 때문에 어느 이상으로 휘어지면 버티지 못하고 꺾인다. 대나무는 휘어졌다가 원래의 모습을 되돌아오는 탄성이 좋아서 활이나 낚싯대 등으로 사용한다.

02 **모범답안**
• 뿌리와 줄기를 튼튼하게 만드는 데 필요한 에너지를 아낄 수 있다.
• 넓게 퍼져 자라기 때문에 바람의 영향을 적게 받는다.
• 다른 물체를 감고 높이 올라가 태양빛을 충분히 받고 생활 공간을 확보할 수 있다.
해설 덩굴식물은 다른 물체나 나무에 붙어서 자라기 때문에 햇빛이 가려질 수 있고, 넓게 퍼져 자라기 때문에 동물이나 사람에게 밟혀 다칠 수 있다. 덩굴식물이 다른 물체나 나무에 의지해서 자라기 때문에 기생식물로 착각하는 경우가 있는데, 덩굴식물은 광합성을 하여 스스로 만든 양분으로 성장한다.

03 **모범답안** 다른 물체에 감겨 붙어서 자신의 몸을 지탱한다.
해설 덩굴손은 잎이 변형되어서 만들어진 것으로, 다른 물체에 감겨 붙어서 자신의 몸을 유지하고 안정시킨다. 큰 오이가 가는 줄기에 매달려 있을 수 있는 것은 덩굴손이 다른 물체를 단단히 잡고 지탱하기 때문이다. 덩굴손은 잘 늘어나고 잘 줄어들기 때문에 쉽게 끊어지지 않고, 바람이나 충격으로부터 줄기와 열매를 보호한다. 덩굴손은 접촉에 민감하여, 아래쪽을 살짝 건드리면 1~2분 만에 아래쪽으로 구부러지고, 어떤 물체에 스치면 그쪽을 향해 방향을 바꾼 후 그 물체를 감싸고 계속 달라붙어 있다.

04 모범답안 가시엉겅퀴, 가시 때문에 다른 동물이 쉽게 잎이나 꽃을 먹지 못한다.

해설 가시엉겅퀴는 가시가 엉켜 있는 생김새에서 나온 이름이다. 가시엉겅퀴는 가시가 많아 꽃을 꺾거나 초식 동물의 먹이가 되는 것으로부터 자신을 보호한다. 가시엉겅퀴는 산과 들에서 자라며 높이가 약 25 cm이다. 국화과에 속하며 여러해살이풀이다. 꽃은 6~8월에 피고 자주색을 띠며, 지름이 약 3~5 cm이고 가지와 줄기 끝에 1~3 송이씩 달린다. 원산지는 한국이며, 한국과 일본에 분포한다.

융합사고력 키우기 16~17쪽

01 모범답안 건물의 내부 온도를 낮춰주고, 담장을 장식해준다.

해설 담쟁이덩굴은 뙤약볕을 차단해주어 여름에 내부 온도를 2~3 ℃ 이상 낮춰준다. 소음을 차단하기 위해 방음벽(경부고속도로 양재 IC에서 반포 IC 사이의 방음벽)에 심기도 한다. 담쟁이덩굴은 풍화작용에 의한 벽체 부식을 방지하므로 몇십 년간 외장재를 칠하지 않아도 된다. 겨울에는 온도를 유지해주는 효과가 있으며, 도심 생태계를 보호할 수 있다. 그러나 죽은 잎이 아토피를 유발하고 벌레가 많이 생기는 단점도 있다.

02 모범답안 햇빛을 받아 필요한 양분을 만들기 위해서이다.

해설 담쟁이덩굴은 덩굴손 끝의 흡착판으로 나무나 벽의 표면에 붙어 올라가기 때문에 다른 나무의 도움을 받지만 그 나무의 줄기를 감아 옥죄거나 덮어 가리는 등 나무에 물리적인 해를 주지 않는다. 햇빛을 많이 받고 자란 담쟁이덩굴일수록 가을이 되면 새빨간 단풍으로 빛난다.

03 모범답안
• 건물 벽에 넝쿨 식물로 녹색 커튼을 만든다.
• 옥상에 식물을 키우는 옥상 정원을 만든다.
• 집 안이나 건물 안에 수생식물 화분을 놓는다.

해설 건물 외벽을 타고 올라가는 여주와 수세미 넝쿨을 기르는 녹색 커튼 조성 사업은 실내 온도를 낮추고 강한 햇빛,

자외선, 외부의 시선 차단 등 커튼 효과를 누릴 수 있고, 녹색 잎의 시원함과 예쁜 꽃으로 미관 조성에도 좋은 평가를 받고 있다. 옥상에 식물을 심고 정원을 만들면 소음과 대기오염을 50 % 줄이고, 이산화 탄소 배출을 97 % 줄일 수 있으며, 여름철 기온도 5~6 ℃ 낮출 수 있다.

🌱 02 식물이 사는 곳

개념 기르기 22~23쪽

01 ④ **02** ④ **03** ③, ④ **04** ① **05** ④
06 ④ **07** ① **08** ② **09** ④ **10** ③
11 ②

01 뿌리, 줄기, 잎을 가지는 것과 햇빛을 이용하여 스스로 양분을 만드는 것은 풀과 나무의 공통점이다. 주로 식용 등으로 이용되는 것은 풀이다.

02 풀은 씨앗을 만들어 겨울을 나고, 나무는 잎을 떨어뜨려 겨울을 난다. 풀은 비교적 키가 작아 햇빛이 잘 드는 평야에 많고, 나무는 햇빛을 잘 받기 위해 키가 크고 주로 산에 많다.

03 이끼는 그늘지고 습기가 많고 서늘한 곳에서 잘 자란다. 주로 커다란 나무 사이나 바위틈, 물가 주변에서 잘 자란다.

04 ② 솔잎 모양이다.
③ 줄기는 초록색, 뿌리는 하얀색이다.
④ 암그루는 긴 대롱 끝에 주머니가 있다.
⑤ 수그루는 줄기와 잎만 있다.

05 ①, ② 강물은 흐르고 연못 물은 고여 있다.
③ 강가에는 바람이 강하게 불기도 한다.
⑤ 깊은 연못이나 강 속에는 빛이 잘 들어오지 않는다.

06 부레옥잠은 잎자루에 공기주머니가 있어서 물 위에 떠 있을 수 있다.

07 ② 물속에 잠겨서 사는 식물은 줄기가 약하며 잎이 좁고 긴

것이 많다.

③ 잎이 물에 떠서 사는 식물은 뿌리는 물속의 땅 밑에 있고 잎과 꽃은 물 위에 뜬다.

④ 잎이 물 위로 뻗어서 사는 식물은 뿌리는 물속의 젖은 땅에 있으며 키가 크고 줄기가 튼튼하다.

⑤ 개구리밥과 생이가래는 물에 떠서 산다.

08 ①, ③ 갈대와 부들은 잎이 물 위로 뻗어서 산다.
④, ⑤ 검정말과 물수세미는 물속에 잠겨서 산다.

09 사막에 사는 식물은 물의 증발을 막고 동물에게 뜯어 먹히지 않기 위해 작거나 뾰족한 잎을 가지고 있다.

10 바오밥나무, 용설란, 선인장, 크고 작은 다육 식물 등은 사막에 사는 식물이다. 사막에 사는 식물은 물을 잘 흡수하기 위해 긴 뿌리를 가지고 있고, 물을 저장하기 위해 굵은 줄기를 가지고 있으며, 물의 증발을 막기 위해 잎이 작거나 뾰족하다.

11 ① 단풍나무 열매의 씨앗에 날개가 비스듬하게 붙어 있어 회전하며 떨어지는 것을 보고 선풍기나 비행기의 프로펠러 등으로 활용한다.

③ 덩굴장미를 보고 둥근 모양의 가시철조망을 만들었다.

④ 은행나무에서 얻은 성분으로 약을 만든다.

⑤ 도깨비바늘을 보고 벨크로와 같은 접착식 테이프 등을 만들었다.

서술형으로 다지기 　　　　24~25쪽

01 모범답안
- 광합성을 하여 맑은 공기를 만든다.
- 비가 많이 와도 물을 많이 흡수할 수 있어 산사태를 막아 주고, 가뭄과 홍수의 발생을 줄여준다.
- 아름다운 경치를 만들어 주고, 삼림욕 등을 할 수 있다.

해설 식물은 이산화 탄소를 흡수하여 광합성을 하고 만들어진 산소를 방출해 주위의 공기를 맑게 한다. 또한, 비가 오면 땅속의 물을 흡수하여 식물체 내에 저장하고 있다가 잎을 통해 공기 중으로 방출함으로써 홍수나 가뭄을 막아준다. 식물의 뿌리는 흙을 단단하게 잡고 있어 많은 비로 흙이 무너지는 것을 막아준다.

02 모범답안 줄기 마디에서 뿌리 같은 것이 나와 땅에 고정되기 때문이다.

해설 땅 위를 기듯이 뻗어 나가는 식물의 줄기를 기는줄기라고 하며, 포복지 또는 눈줄기라고도 부른다. 기는줄기의 마디에서 뿌리 같은 것(부정근)이 나와 줄기를 지탱하기도 한다. 부정근은 줄기에서 나오는 이차적인 뿌리로, 식물이 땅에서 쉽게 떨어지지 않도록 지탱한다. 기는줄기 식물은 줄기 일부분만 잘라내어 옮겨 심어도 죽지 않고 계속해서 성장할 수 있다.

03 모범답안 물을 저장하기 위해 줄기가 굵고, 물의 증발을 막기 위해 잎이 뾰족하다.

해설 선인장은 건조한 곳에서 잘 자라며, 잎은 퇴화하여 가시 모양으로 변하였고, 줄기는 둥글거나 납작하다. 엽록체가 줄기에 있으므로 줄기에서 광합성이 일어난다. 선인장의 잎은 가시 모양을 하고 있어 물의 증발을 막고, 동물이 먹지 못하게 하며, 줄기는 굵어서 물을 저장할 수 있고, 두꺼워서 물의 증발을 막는다.

04 모범답안 잎은 햇빛을 받아 양분을 만들어야 하고 꽃은 곤충을 유인해 열매를 맺어야 하기 때문이다.

해설 뿌리는 물 밑바닥에 굳게 들러붙어 있고 잎이 물 위로 뜨는 식물을 부엽식물이라고 한다. 부엽식물은 수심 1~1.5 m의 물속에서 자라며, 물 위로 뜨는 잎(부엽)에만 기공이 있다. 마름, 수련, 가래 등이 이에 속한다.

융합사고력 키우기 　　　　26~27쪽

01 모범답안
- 식물체의 잎이나 줄기를 꺾어 냄새를 맡아본다.
- 벌레가 갉아먹은 흔적이 있는지 살펴본다.

02 모범답안
- 가시를 만든다. → 장미
- 잎 가장자리에 날카로운 칼날을 가지고 있다. → 잔디
- 온몸에 독털을 가지고 있다. → 쐐기풀
- 몸에 상처가 나면 매운 냄새를 낸다. → 양파, 마늘 등
- 몸에 상처가 나면 피톤치드와 송진을 뿜는다. → 소나무
- 해충이 갉아 먹는 것을 알아차리면 특수한 기체를 방출하여 주위의 말벌에게 구조를 요청한다. 말벌이 달려와 잎을

갉아 먹는 해충을 잡아먹는다. → 옥수수, 면화 등

• 바이러스가 자신에게 침범하면 경보 물질을 발산해 이웃 식물들이 대비하게 만든다. 이웃 식물은 그 신호를 받아서 면역물질을 만든다. → 담배

03 모범답안 약초꾼들의 무분별한 채취로 개체 수가 급격히 감소했기 때문이다.

해설 약초와 독초는 양날의 검과 같다. 유독 성분도 사용하기 따라서 약이 되고, 반대로 약으로 쓰이는 식물도 일정량을 초과하면 생명을 위협하는 독이 될 수 있기 때문이다. 천남성이라는 식물도 맹독이 있어서 조심해야 하는 식물이지만, 뿌리는 뱀에 물렸을 때 해독제 재료로 쓰인다. 미치광이풀의 독성물질은 멀미약의 원료로 사용된다. 사람의 건강도 중요하지만, 수백만여 종의 생물이 모여 구성되고 있는 생태계의 균형과 기능을 건강하게 유지하기 위해서 생태계에 피해를 주지 않는 한도 내에서 적절한 양만 채취해야 한다.

탐구력 기르기
28~29쪽

01 모범답안 손수건이 노랗게 염색된다.

해설 염색된 손수건을 깨끗한 물에 헹군 후 소금물에 넣는데 이때 소금은 염색 물질이 손수건에 잘 결합되도록 도와주며, 세탁할 때 색이 빠지지 않도록 한다.

02 모범답안 매듭을 만들거나 고무줄로 묶은 곳은 염색액이 묻지 않아 염색이 되지 않으므로 하얗게 무늬가 생긴다.

03 모범답안 포도 껍질, 양파 껍질, 감, 도토리, 밤 껍질, 치자, 쑥, 먹 등

해설 색이 있는 식물이나 흙 등으로 염색을 할 수 있다. 스님이 입는 회색 승복은 먹으로 염색한다.

04 모범답안 색상이 자연스럽고 건강에도 좋기 때문이다.

해설 합성염료에는 건강과 환경에 위협이 되는 카드뮴 등의 중금속이 많이 포함되어 있고, 유해 물질이 섞여 있어 피부 질환 등이 생기기도 한다.

II 물의 상태 변화
03 물과 얼음, 물과 수증기

개념 기르기
36~37쪽

| 01 ③ | 02 ⑤ | 03 ②, ④ | 04 ③ | 05 ③ |
| 06 ① | 07 ② | 08 ④ | 09 ② | 10 ③, ⑤ |

01 손바닥 위에 얼음을 놓으면 처음에 차갑지만, 시간이 지나면 얼음의 크기가 작아지고 얼음 주위에 물이 생기며, 얼음이 모두 녹으면 처음보다 덜 차가워진다. 손바닥의 열이 얼음으로 이동하여 얼음이 녹는다.

02 더운 바람을 쐬면 얼음 주위의 온도가 높아지기 때문에 얼음이 더 빨리 녹는다. 더운 바람을 쐬었을 때가 얼음을 그냥 두었을 때보다 얼음 주변에 물이 많이 생기고, 얼음이 빨리 녹아 얼음의 크기가 빨리 작아진다.

03 물이 얼 때 무게는 변하지 않으므로 물이 얼기 전과 후의 무게는 달라지지 않는다. 또한, 물이 얼 때 부피가 증가하므로 물이 완전히 얼면 얼기 전에 표시한 물의 높이보다 높아진다.

04 겨울에 강물이 얼면 미끄러워지기 때문에 썰매나 스케이트를 탈 수 있다. 강물이 얼면 부피가 늘어나지만 썰매나 스케이트를 타는 것으로 부피 변화를 알 수 없다.

05 얼음이 물로 변할 때 질량, 무게, 색깔은 변하지 않고, 부피는 감소한다. 얼음이 물이 되면서 열을 방출하기 때문에 온도는 낮아지지 않고 일정하게 유지된다.

06 비닐 랩을 덮은 비커는 비커의 벽면과 위쪽의 비닐 랩에 물방울이 맺히고 물의 높이가 변하지 않는다. 비닐 랩을 덮지 않은 비커는 비커 벽면과 위쪽에 물방울이 맺혀 있지 않고 물의 높이가 낮아진다. 이것은 물이 증발하여 공기 중으로 날아갔기 때문이다.

07 물이 끓는 것은 끓음이다. 끓음은 특정 온도인 끓는점에서 액체 표면과 내부에서 액체가 강렬하게 기체로 변하는 현상이다.

08 공기 중의 수증기가 냉각되어 물방울이 되는 것을 응결이라고 한다. 공기 중의 수증기가 밤에 차가워진 물체의 표면에서 물방울로 맺히는 것을 이슬이라고 한다.

09 ⊙은 김, ⓒ은 수증기이다. 김은 액체 상태의 물이고 눈에 보인다. 수증기는 기체 상태이며 눈에 보이지 않는다. 김은 수증기가 냉각되어 작은 물방울로 변한 것이다.

10 플라스틱 컵 표면에 생긴 물방울은 액체로, 맛도 없고 색깔도 없다. 이 물방울은 공기 중에 있는 수증기가 찬 컵 표면과 만나 물로 응결하여 만들어진 것이다.

서술형으로 다지기   38~39쪽

01 모범답안 아이스크림 속에 들어 있던 공기가 빠져나갔기 때문에 다시 얼리면, 빠져나간 공기만큼 양이 적어진다.
해설 아이스크림을 만들 때 공기를 넣어 아이스크림을 부드럽게 한다. 아이스크림이 녹아 액체가 되면 아이스크림 속에 들어 있던 공기가 빠져나가므로, 다시 얼리면 빠져나간 공기의 부피만큼 아이스크림의 부피가 줄어들고, 부드러운 느낌이 덜 하게 된다.

02 모범답안 물이 비눗물과 섞여서 물방울이 되지 않고 얇은 막을 만들기 때문이다.
해설 유리창이나 거울에 비눗물을 바르면 공기 중의 수증기가 비눗물에 녹아서 유리창이나 거울에 얇은 막을 만든다. 계속해서 수증기가 비눗물에 녹으면 막이 두꺼워지고, 어느 정도까지 두꺼워지면 아래로 흘러내린다. 거울 표면에 물이 표면장력에 의해 방울지면서 김이 서리면 빛의 산란으로 뿌옇게 보이지만, 비눗물을 바르면 물의 표면장력을 약하게 하여 방울지지 않고 막을 형성하므로 거울이 깨끗하게 보인다. 김 서림 방지제도 같은 원리를 이용한 것이다.

03 모범답안 얼음에 소금을 섞으면 얼음이 녹으면서 열을 흡수하고, 물에 소금이 녹으면서 열을 또 흡수하므로 더 차갑게 만들 수 있기 때문이다.
해설 용매에 용질이 녹아 있을 때 어는점이 낮아지는 현상을 어는점 내림이라고 하며, 소금은 물에 녹을 때 주위의 열을 흡수하는데 이를 용해열이라고 한다. 얼음 주변이 시원한 것은 얼음이 녹으면서 주변의 열을 흡수하기 때문이다. 얼음에 소금을 섞으면 어는점이 낮아져 얼음이 주위 열을 흡수해 녹으면서 물이 생기고, 이 물에 소금이 녹으면 주변의 열을 또 흡수하기 때문에 얼음만 있었을 때보다 주변의 온도가 더 낮아진다. 따라서 시험관 안의 아이스크림 재료가 언다. 얼음과 소금을 3 : 1의 비율로 섞으면 −21 ℃까지 낮출 수 있다. 겨울에 도로가 얼지 않게 하려고 염화 칼슘을 뿌리는 것도 어는점 내림을 이용한 것이다. 눈에 염화 칼슘을 뿌리면 −55 ℃까지 낮출 수 있지만, 부식성이 강해 자동차나 콘크리트 속의 철근을 손상시키고 식물에 나쁜 영향을 미치기도 한다.

04 모범답안 물의 온도가 높을수록 증발이 잘 일어나고 주위의 열을 흡수해 빨리 얼기 때문에 차가운 물로 세차해야 한다.
해설 뜨거운 물은 증발이 활발하게 일어나 열을 빨리 잃고 어는점에 빨리 도달하므로 빨리 언다. 아주 추운 겨울 밖에 있는 유리창에 미지근한 물과 뜨거운 물을 부으면 뜨거운 물은 빨리 얼어서 유리창에 달라붙는다.

융합사고력 키우기   40~41쪽

01 모범답안 액체 → 기체 → 액체
해설 액체 상태인 오염된 물은 태양 광선에 의해 증발하여 수증기인 기체 상태가 되었다가 솔라볼 위쪽에서 응결하여 액체 상태인 깨끗한 물이 된다.

02 모범답안 햇빛과 증발만으로는 오염된 물에 있는 해로운 균을 완전히 제거할 수 없기 때문이다.
해설 햇빛과 증발만으로는 오염된 지역에서 발생하는 해로운 균에서 벗어날 수 없다.

03 모범답안
• 과일즙이나 화학 물질로 솔라볼로 얻은 물에 있을 수 있는 해로운 균을 제거한다.
• 자외선을 이용해 솔라볼로 얻은 물에 있을 수 있는 해로운 균을 죽인다.
• 솔라볼을 열에 강한 물질(금속)로 만들어서 아랫부분을 가열하여 식수를 얻는다.
• 솔라볼로 얻은 물을 다시 한 번 끓인다.

해설 존스홉킨스 의대 연구진들은 태양빛으로 소독한 물에 라임(lime) 주스를 넣으면 태양빛으로만 소독한 물보다 상당히 빠르게 대장균과 같은 해로운 균이 제거되는 것을 볼 수 있다고 한다. 그러나 이 방법도 모든 해로운 균을 제거하지 못하므로 더 연구 중이다

🌱 04 물의 여행

개념 기르기   46~47쪽

01 ③ **02** ④ **03** ⑤ **04** ②, ③ **05** ①
06 ②, ⑤ **07** ② **08** ① **09** ③ **10** ⑤

01 하늘 높이 올라간 수증기는 온도가 낮아져 응결하여 구름이 된다.

02 물이 수증기가 되는 A 과정은 증발이고, 수증기가 구름(물방울)이 되는 B 과정은 응결이다.

03 플라스틱 컵의 얼음은 물로, 물은 수증기로, 수증기는 다시 물로 상태 변화 하면서 순환하지만 밀폐된 지퍼백 안에서 일어나므로 3일 후 무게는 처음과 같은 128 g이다.

04 ② 식물이 증산 작용을 통해 식물체 안의 물을 기체 상태인 수증기로 내뿜는다.
③ 하늘 높은 곳에서 수증기가 응결하면 액체 상태인 구름이 된다.

05 물은 태양 에너지에 의해 고체, 액체, 기체로 상태 변화하면서 땅, 바다, 공기 중으로 끊임없이 순환한다.

06 ① 지구상에 존재하는 물 중 가장 많은 물은 바닷물이다.
② 지구는 표면의 70 %가 물로 덮여 있지만 대부분 바닷물이므로 일상생활에서 사용할 수 있는 물은 매우 적다.
④ 사람이 바닷물을 마시면 심한 갈증을 느끼고 식물에 바닷물을 주면 말라 죽는다.

07 식수, 빨래, 목욕 등에 사용하는 물은 생활용수이다.

08 우리나라의 연평균 강수량은 세계 평균 강수량보다 많지만, 대부분 여름철에 집중되어 있기 때문에 충분한 양의 물을 확보하기가 어렵다.

09 물을 받아서 세수하면 물을 절약할 수 있다.

10 우리가 사용할 수 있는 물의 양은 강과 호수의 물과 지하수이며, 이는 지구 전체 물의 1 %도 되지 않는 아주 적은 양이다.

서술형으로 다지기   48~49쪽

01 모범답안 물은 증발, 구름, 비 등 상태 변화를 하면서 순환하기 때문이다.
해설 물은 가만히 있는 것이 아니라 공기 중으로 증발하기도 하고, 공기 중에서 떠돌다가 이슬이나 서리와 같은 형태로 다시 물이 되기도 한다. 또한, 이보다 더 높이 올라가 구름이 되기도 하고, 구름은 다시 비나 눈이 되어 육지로 떨어진다. 물은 가까운 곳이나 아주 먼 곳까지 순환하면서 다시 되돌아오는 과정을 반복하면서, 수천 년 동안 줄어들지도 늘어나지도 않은 상태를 유지하고 있다. 우리가 마신 물도 오줌이나 땀으로 배출되므로 사라져 없어지는 것이 아니다.

02 모범답안 지구의 온도가 높아져 증발하는 양은 많아지고 비는 적게 내리기 때문이다.
해설 지구 기온이 높아지면 지표면의 있는 물을 빠르게 증발시켜 땅을 건조하게 만들어 가뭄 발생의 큰 원인이 된다. 지구 기온이 높아지면 대기 중의 포화 수증기량도 증가하기 때문에 구름이 만들어지기 어렵고, 구름이 만들어지지 않으면 비나 눈이 내리지 않는다. 지구 기온이 높아지면 물의 순환 과정에서 전체 물은 일정한 양을 유지하고 있지만, 땅 위의 물보다 공기 중의 물이 많아지므로 땅은 사막화된다. 특히 아프리카 지역은 무분별한 방목과 경작, 화전 등에 의해 산림이 무분별하게 농경지로 개간되고 있는데, 이러한 지역 대부분이 결국 사막으로 변한다. 사막화는 13 %는 자연적인 원인에 의해, 87 %는 인위적인 원인에 의한 것으로 예측된다.

03 모범답안 지구 전체의 물의 대부분은 바닷물이고, 소금기가 있는 바닷물은 사용할 수 없기 때문이다.
해설 지구 전체의 물 중 바닷물이 97 %, 육지의 물이 3 %를

차지하고, 육지의 물의 대부분은 극지방과 고산 지대의 빙하이다. 우리가 일상생활에서 사용할 수 있는 물은 강과 호수의 물과 지하수이며, 이는 지구 전체의 물 중 1 % 정도밖에 안 되는 매우 적은 양이다.

04 모범답안 바닷물의 소금을 몸 밖으로 배출하기 위해 더 많은 물을 내보내기 때문에 탈수 증상이 나타난다.

해설 사람의 몸에는 혈액 안에 약 0.9 %의 염분이 있다. 염분이 이보다 높아지면 물을 많이 마셔서 농도를 낮추고, 낮아지면 더 섭취하도록 만들어서 균형을 맞춘다. 만약 염분이 3.5 %가 넘는 바닷물을 마시게 되면 우리 몸은 염분 농도를 낮추기 위해 땀이나 소변으로 물과 함께 염분을 배출한다. 따라서 바닷물을 마시면 마실수록 오히려 우리 몸에서 물이 빠져나가게 되므로 탈수 증상이 나타나고, 심해지면 사망할 수 있다. 2012년 12월 멕시코의 한 어부는 배의 엔진에 이상이 생겨 13개월 동안 태평양을 표류하다가 구조되었다. 그는 맨손으로 바다거북, 생선, 바다갈매기 등을 잡아먹으며 버텼으며, 비가 오지 않을 때는 배고픔과 목마름을 이기기 위해 바다거북을 죽여 피를 마시기도 했다.

융합사고력 키우기   50~51쪽

01 모범답안 중수

해설 한 번 사용한 물을 생활용수나 공업용수 등으로 재활용할 수 있도록 다시 처리한 물을 중수, 중수를 만드는 시설을 중수도라고 한다.

02 모범답안

• 수돗물을 절약할 수 있다.
• 하수 처리 비용을 절약할 수 있다.
• 하천이 오염되지 않는다.

해설 우리가 사용한 물은 하수도로 흘러 들어간 후 폐수처리장으로 흘러 들어가 엄청난 비용과 긴 과정을 거쳐서 다시 깨끗한 물로 재생산되거나 그렇지 못하면 바다나 다른 곳으로 버려져 환경을 오염시키는 주범이 된다. 그러나 중수도를 활용하면 낭비되는 물을 절약할 수 있고, 갈수기에 물 부족으로 인한 어려움도 줄일 수 있다. 또한, 하수 처리 비용도 절약할 수 있으며, 오염된 물이 하천으로 흐르지 않기 때문에 환경이 오염되지 않는다. 중수도는 작은 댐 하나를 건설하는 효과와

비슷하다. 그러나 댐을 지을 때는 자연이 크게 훼손되지만, 중수도는 환경오염 없이도 물 부족 문제를 해결할 수 있는 아주 좋은 방법이다.

03 모범답안 빗물이나 지하수는 쓰레기나 낙엽만 제거하면 깨끗해지기 때문이다.

해설 중수는 더러운 물에서 먼저 이물질 덩어리를 제거한 후 미생물을 이용해 작은 이물질을 분리하는 과정을 거친다. 이 과정은 일반 하수 처리 과정과 비슷하므로 비용이 발생한다. 그러나 빗물은 바로 모으면 오염되지 않기 때문에 여러 과정을 거치지 않고도 바로 사용할 수 있다. 빗물을 모으면 빗물이 한꺼번에 내려가는 양을 줄여 홍수를 방지할 수 있고 땅속에 침투시켜 가뭄도 예방할 수 있다. 빗물을 저장할 때 유기물, 미생물, 햇빛을 차단하면 빗물이 썩지 않도록 보관할 수 있다. 빗물 저금통은 집수, 여과, 저장, 배수 부분으로 구성되어 있고, 증발을 막기 위해 뚜껑이 있다.

탐구력 기르기   52~53쪽

01 모범답안 아이스크림 액체가 얼어서 아이스크림이 된다.

해설 얼음에 소금을 넣으면 냉동실처럼 온도를 낮게 만들 수 있다.

02 모범답안

• 실 주변의 얼음이 조금 녹은 후 다시 언다.
• 실이 얼음에 붙어 실을 들면 얼음도 같이 들어 올려진다.

해설 얼음에 소금을 뿌리면 어는점이 낮아져 순간적으로 소금 근처의 얼음이 녹으면서 주위의 열을 흡수한다. 또한, 얼음이 녹은 물에 소금이 녹으면서 주위의 열을 흡수하므로 얼음 전체의 온도를 더 낮게 만든다. 전체 얼음의 양에 비해 소금이 극히 적은 양이므로 소금에 의해 녹았던 물은 순간적으로 다시 얼게 되고, 이때 실과 얼음이 서로 붙는다.

03 모범답안 얼음이 작을수록 소금과 잘 섞여 온도를 더 빨리 낮출 수 있기 때문이다.

해설 얼음에 소금을 넣으면 어는점이 낮아져 얼음이 녹는다. 얼음이 녹으면서 주위의 열을 흡수하고, 얼음이 녹은 물에 소금이 녹으면서 주위의 열을 흡수하므로, 열을 빼긴 아이스크림 액체는 얼어서 고체 아이스크림이 되고, 얼음과 소금을

담은 그릇 겉면에는 성에(얼음)가 생긴다. 성애는 공기 중의 수증기가 소금을 담은 그릇과 만나 0 ℃ 이하로 차가워져 하얗게 얼어붙어 생긴 것이다. 소금에 의해 녹은 얼음물을 만져보면 매우 차갑다. 얼음과 소금을 3 : 1로 혼합하면 −21 ℃까지 온도를 낮출 수 있다. 이때 소금이 물이 어는 것을 방해하기 때문에, 얼지 못하고 매우 낮은 온도의 액체 상태를 유지한다. 얼음을 잘게 부수면 소금과 만나는 표면적이 증가하여 얼음이 빨리 녹고, 얼음이 녹은 물에 소금도 빨리 녹으므로 온도를 더 빨리 낮출 수 있다. 그러나 얼음이 너무 작으면 소금과 섞이기 전에 녹을 수 있으므로 너무 작게 하면 안 된다.

04 모범답안 바닷물은 끊임없이 움직이고 소금이 녹아 있기 때문에 잘 얼지 않는다.

해설 물은 0 ℃가 되면 얼지만, 소금이 녹아 있는 물은 0 ℃가 되어도 얼지 않는다. 바닷물에 녹아 있는 소금이 물이 얼음으로 변하는 것을 방해하기 때문에 더 차가워져야 언다. 공기의 온도가 −20 ℃일지라도, 물은 공기만큼 쉽게 차가워지지 않기 때문에 −20 ℃가 되지 않는다. 또한, 극지방에는 온도가 높은 저위도의 물이 흘러들어오기 때문에 바닷물 온도가 급격하게 낮아지지 않으므로 잘 얼지 않는다.

Ⅲ 그림자와 거울

🌱 05 빛과 거울

개념 기르기   60~61쪽

01 ④	**02** ⑤	**03** ①	**04** ②	**05** ①, ⑤
06 ④	**07** ③	**08** ③	**09** ⑤	**10** ⑤

01 ① 빛을 완전히 가리면 아무것도 보이지 않는다.
② 창 가리개는 검은색 종이를 사용한다. 검은색은 빛을 흡수하므로 암실이나 어두운 장소를 만들 때 빛을 반사하는 흰색보다 좋다.
③ 물체를 보려면 물체, 눈, 빛이 있어야 한다.
⑤ 빛이 들어오는 부분을 모두 열어 빛이 가장 많이 들어올 때 물체가 가장 선명하게 잘 보인다.

02 광원은 스스로 빛을 내어 주위를 비추는 것이다. 달은 스스로 빛을 내는 것이 아니라 태양의 빛을 반사하여 빛나는 것처럼 보인다.

03 ㉠ 광원에서 나온 빛이 눈에 들어올 때 물체를 볼 수 있다. 우리 눈은 빛을 감지하는 기관으로 눈 속에는 명암과 색깔을 구분하는 시각세포가 있다.
㉡ 빛은 광원에서만 나오며 눈에서 빛이 나올 수 없다.

04 빛이 공기 중에서 곧게 나아가는 것을 빛의 직진이라고 한다.

05 ②, ③ 물에 비친 모습과 거울에 비친 모습은 빛의 반사 현상이다.
④ 무지개는 햇빛이 물방울에서 색깔별로 나누어지는 현상으로 빛의 분산에 의한 현상이다.

06 빛은 모두 직진과 반사하는 성질이 있다. 따라서 레이저도 거울을 만나 부딪치면 손전등 빛과 같이 방향이 바뀐다. 광섬유는 빛의 반사를 이용하여 정보를 전달한다.

07 표면이 매끄러운 물체는 일정한 방향으로 빛이 반사되므로 주변의 모습이 잘 비친다. 따라서 잔잔한 물은 표면이 매끄러워서 표면이 울퉁불퉁한 출렁이는 물에 비해 물체가 더 잘

비친다.

08 내 모습이 잘 비치는 물체의 특징은 표면이 매끄럽고 단단하다. 표면이 매끄러운 물체는 빛이 일정한 방향으로 반사되므로 주변의 모습이 잘 비친다.

09 거울을 오른쪽으로 회전시키면 오른쪽에 있는 친구가 보이고, 거울을 왼쪽으로 회전시키면 왼쪽에 있는 친구가 보인다. 거울 면이 향하는 방향이 달라질 때 거울에 비친 모습은 달라진다.

10 ① 거울에 비친 물체의 크기, 모양, 색깔은 변하지 않는다.
② 거울 두 개가 이루는 각이 120°일 때 거울에 2개의 물체가 보인다.
③ 직각일 때 거울에 3개의 물체가 보인다.
④ 거울 두 개가 이루는 각이 좁을수록 거울에 비친 물체의 수는 많아진다.
⑤ 두 개의 거울을 마주 보게 놓으면 한쪽 거울에 비친 물체의 모습이 다른 쪽 거울에 비쳐 모습이 계속 만들어지기 때문에 무수히 많은 물체가 보인다.

서술형으로 다지기

62~63쪽

01 모범답안 등대 주변의 나무가 자라 등대 빛이 가려졌기 때문이다.

해설 울기등대가 있는 대왕암은 해송림이 유명하다. 원래 이곳은 목장 지대였으나 일본이 군사기지로 만들고 해송을 심어 해송림을 만들었다. 최초 6.1 m 높이로 건축된 울기 등대는 1972년 3 m를 증축하였으나 등대 주변의 소나무들이 자라면서 바다에서 더 이상 바다에서 보이지 않게 되자 1987년 그 옆에 24 m 등대를 신축하였다. 옛날 울기등대는 당시 등대 건축 양식을 잘 보여주고 있어 문화재적 가치가 높아서 근대문화유산 106호로 등록되어 있으며, 1층은 개방하고 있다.

02 모범답안 빨간색 꽃은 여러 가지 색의 빛이 섞인 햇빛 중에서 빨간색 빛만 반사하기 때문이다.

해설 태양은 스스로 빛을 내는 광원이지만 꽃은 스스로 빛을 내지 못한다. 햇빛이 꽃에서 반사되고 그 빛이 우리 눈에 들어오면서 꽃을 보게 된다. 우리가 햇빛을 볼 때는 흰색으로 보이지만, 실제로 흰색 빛은 빨간색, 주황색, 노란색, 초록색, 파란색, 보라색 등 여러 색의 빛이 합쳐진 것이다. 햇빛을 물방울이나 프리즘으로 나누면 여러 가지 색의 무지개를 볼 수 있다. 빨간색 꽃은 빨간색 빛만 반사하고 나머지 색의 빛은 흡수하기 때문에 우리 눈에 빨간색으로 보인다.

03 모범답안
• 거울에 비친 모습 : A-'SƆ', B-'29', C-'SƆ'
• 규칙성 : 홀수 번째 거울에서는 좌우가 바뀐 모습 'SƆ'으로 보이고, 짝수 번째 거울에서는 좌우가 바뀌지 않고 그대로 '29'로 보인다.

해설 거울을 물체 옆에 놓았을 때 물체의 좌우가 바뀌어 보이므로 첫 번째 거울에 비친 상은 좌우가 바뀌어 보이고, 두 번째 거울에 비친 모습은 다시 좌우가 바뀌어 처음 모습과 같아진다. 거울의 숫자가 많아지면 홀수 번째 거울에서는 좌우가 바뀌어 보이고, 짝수 번째 거울에서는 처음 모습으로 보인다.

04 모범답안 세로는 평면거울과 같으므로 두께가 변하지 않지만, 가로는 볼록거울과 같으므로 길이가 짧아 보인다.

해설 평면거울은 상의 크기와 색이 같고 거울면에 대해 대칭으로 보인다. 음료수 캔은 평평한 거울을 둥글게 말아서 볼록 튀어나오게 만든 것과 같으므로 세로는 평면거울, 가로는 볼록거울과 같다. 따라서 음료수 캔에 비친 연필은 세로는 두께가 같고, 가로는 축소되어 짧게 보인다. 볼록거울은 거리에 관계 없이 물체보다 작고 똑바로 선 상이 생긴다. 볼록거울은 자동차의 후면경, 굽은 도로의 안전 거울, 편의점이나 가게의 도난 방지용 거울로 사용되며, 넓은 장소를 축소해 볼 수 있다.

01 **모범답안** 반사 법칙

해설 울퉁불퉁한 종이 표면에서도 법선을 기준으로 입사각과 반사각이 항상 같다.

02 **모범답안** 내가 손으로 오른쪽을 가리키면 거울에 비친 나도 오른쪽을 가리키기 때문에 좌우 대칭이 아니다. 내가 손으로 거울 쪽을 가리키면 거울에 비친 모습은 거울에서 나오는 쪽을 가리키기 때문에 앞뒤 대칭이 좌우 대칭보다 더 적절하다.

해설 거울 앞에 서 있으면 거울 속의 내 모습과 실제의 나는 좌우가 바뀐 것처럼 느껴진다. 내가 오른손을 들면 거울 속의 나는 왼손을 드는 것처럼 보인다. 하지만 거울 경계면을 기준으로 실제 나와 거울 속에 비친 내가 마주 보고 있기 때문에 생기는 착각이다. 내가 오른손을 들면 왼손이 들리는 것처럼 보이지만 내 오른쪽의 물건 위치는 여전히 오른쪽에 그대로 있다. 그러므로 거울에 비치는 상은 좌우 대칭이라기보다는 거울 경계면을 기준으로 앞뒤 대칭이라고 하는 것이 더 적절하다. 앞뒤 대칭이기 때문에 거울 경계면을 기준으로 나와 거울에 생긴 상과의 거리는 똑같고 내가 뒤로 한 발짝 물러나면 거울 속의 나도 동시에 한 발짝 뒤로 멀어진다. 좌표계를 이용하면 x가 앞뒤, y가 좌우, z가 상하를 뜻한다. 이 좌표계를, 거울에 대칭시키면 y축과 z축은 바뀌지 않지만, x축은 서로 바뀐다. 즉, y축의 오른쪽으로 손을 뻗으면 거울에서도 오른쪽으로 손을 뻗어 같은 방향을 나타내고, z의 위쪽으로 손을 뻗으면 거울에서도 위쪽으로 손을 뻗어 같은 방향을 나타낸다. 하지만 x축의 뒤쪽으로 손을 뻗으면 거울에서는 앞으로 손을 뻗어 서로 반대 방향을 가리킨다. 따라서 거울은 좌우 대칭이 아닌 앞뒤 대칭이다.

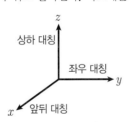

03 **모범답안** 거울 두 개를 사용하여 한 번 비춘 모습을 다시 비추었기 때문이다.

해설 정영경에 채운 물은 두 거울의 이음매가 보이지 않도록 한다.

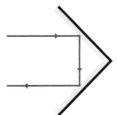

🌱 06 빛과 그림자

01 ⑤	**02** ④	**03** ⑤	**04** ②	**05** ③
06 ④	**07** ⑤	**08** ①	**09** ②	**10** ③, ⑤

01 ① 유리, OHP 필름, 물, 얼음 등은 투명한 물체이다.
② 투명한 물체는 빛을 거의 모두 통과시킨다.
③ 나무, 두꺼운 종이 등은 불투명한 물체이다.
④ 반투명한 물체는 빛을 조금만 통과시킨다.

02 인삼은 서늘하고 건조한 기후를 좋아하는 음지 식물이다. 따라서 햇빛을 직접 쐬어주면 말라 죽기 때문에 검은색 천을 덮어 햇빛을 가려주어야 한다.

03 유리온실은 온실을 유리로 만들어 빛이 잘 들어오게 하여 식물이 자라는 데 도움을 준다.

04 (가)는 운동장 쪽 창문으로, 햇빛이 잘 들어오게 하고 밖을 내다볼 수 있도록 투명한 유리를 사용한다. (나)는 복도 쪽 창문으로, 빛도 들어오면서 복도를 지나다니는 사람으로 인한 수업의 방해를 막기 위해 젖빛 유리를 사용한다.

05 물체의 모양과 그림자의 모양은 비슷할 때도 있지만 다를 때도 있다.
① 손잡이를 하늘로 향하게 한 후 그림자를 만든 모습
② 손잡이를 왼쪽을 향하게 하고 만든 그림자
④ 컵 위에서 빛을 비추어 만든 그림자
⑤ 손잡이를 앞이나 뒤로 향하게 한 다음 앞쪽에서 빛을 비추어 만든 그림자

06 그림자는 빛과 불투명한 물체가 있어야 잘 생긴다. 투명한 물체는 빛을 거의 통과시키므로 그림자의 색이 진하지 않고 흐릿하다. 빛을 거의 통과시키지 못하는 불투명한 물체는 그림자의 색깔이 진하고 선명하다.

07 ① 그림자의 모양은 물체를 비추는 빛의 방향에 따라 달라진다.
② 그림자의 모양은 비슷할 때도 있지만 다를 때도 있다.
③ 그림자의 크기는 빛, 물체, 스크린의 위치에 따라 달라

진다.

④ 그림자는 빛이 도달하지 못해 생기는 현상이므로 검은색이다. 따라서 물체의 색깔을 알 수 없다.

08 전등과 스크린을 고정하고 물체를 스크린에 가까이했을 때 그림자의 크기는 작아진다. 반대로 물체를 스크린에 멀리하면 그림자의 크기는 커진다.

09 그림자의 크기를 크게 하려면 광원과 스크린을 고정하고 물체를 광원 쪽으로 옮기거나 물체와 스크린을 고정하고 광원을 물체 쪽으로 옮긴다.

10 ① 손전등의 위치를 고정하고 A를 손전등에 가까이하면 A의 그림자가 B보다 커진다.
② 손전등의 위치를 고정하고 B를 손전등에 가까이하면 A의 그림자가 B보다 작아진다.
④ A, B의 위치를 고정하고 손전등을 멀리하면 A, B 그림자의 크기가 모두 작아진다.

서술형으로 다지기　　　72~73쪽

01 모범답안 전등이 여러 개 켜져 있기 때문이다.
해설 광원을 여러 개 사용하면 하나의 물체에 여러 개의 그림자가 동시에 생기게 할 수 있다. 대부분 경기장에서는 동서남북 방향에 조명이 있기 때문에 선수를 기준으로 4개의 그림자가 생긴다.

02 모범답안 그림자가 나무 밑에만 있으므로 낮 12시에 찍었을 것이다.
해설 그림자는 태양의 반대편에 생기므로 그림자를 보고 시각을 알 수 있다. 그림자가 서쪽으로 길게 늘어져 있다면 태양은 동쪽에 있고 떠오른 지 얼마 되지 않은 시각이므로 오전이라는 것을 알 수 있다. 또한 동쪽으로 길게 그림자가 늘어져 있다면 서쪽에 태양이 있고 해가 지고 있는 시각임을 알 수 있다. 사진에서는 나무 바로 아래에만 그림자가 생겼으므로 태양이 하늘 높이 떠 있는 정오(낮 12시)임을 알 수 있다.

03 모범답안 빛은 직진하므로 전등과 물체의 가장자리를 선으로

이으면 그림자의 크기를 알 수 있다.

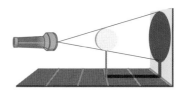

해설 빛은 직진하므로 물체의 가장자리 안쪽으로는 빛이 들어가지 못하기 때문에 가려진 만큼 그림자가 생긴다. 따라서 광원에서 물체의 가장자리를 직선으로 이으면 그림자의 크기를 예상할 수 있다.

04 모범답안 시간에 따라 태양의 위치가 일정하게 변하므로 그림자의 위치로 시간을 알 수 있고, 계절에 따라 태양이 뜨는 높이가 변하므로 그림자의 길이로 대략적인 날짜를 알 수 있다.
해설 태양은 하루 동안 동쪽에서 떠서 서쪽으로 지며, 1시간에 약 15°씩 일정하게 이동하기 때문에 그림자의 길이와 방향이 변한다. 앙부일구는 솥처럼 생긴 오목한 해시계이며, 세로선인 시각선과 가로선인 절기선이 그려져 있다. 하루 동안 그림자는 서쪽에서 동쪽으로 일정하게 움직이며, 앙부일구가 둥근 모양이므로 하루 동안 그림자의 길이 변화는 없다. 겨울(동지, 12월 22일)에는 태양이 낮게 뜨므로 그림자가 길고, 그림자 끝이 가장 위에 있는 가로선을 따라 이동한다. 반대로, 여름(하지, 6월 21일)에는 태양이 높게 뜨므로 그림자의 길이가 짧고, 그림자 끝이 가장 아래에 있는 가로선을 따라 이동한다. 따라서 그림자의 끝이 가리키는 세로선으로 시각을 알 수 있고, 가로선으로 절기(대략적인 날짜)를 알 수 있다.

융합사고력 키우기　　　74~75쪽

01 모범답안 그림자
해설 그림자는 빛이 직진하기 때문에 생기는 현상으로, 그림자는 항상 광원의 반대쪽에 생긴다.

02 모범답안 왼쪽 위는 밝고 오른쪽 아래는 어두우므로 빛은 왼쪽 위에서 오른쪽 아래 대각선 방향으로 비추고 있다.
해설 오른쪽 부분이 대체로 어두운 것으로 보아 빛은 그 반대편인 왼쪽에서 비추고 있다는 것을 알 수 있다. 왼쪽 이마 부분은 빛을 많이 받아 가장 밝고 오른쪽 얼굴 부분은 다소 어둡다. 빛의 직진에 의해 그림자가 만들어지므로 그림자가

생긴 곳의 반대 방향이 빛이 오는 방향이다.

03 모범답안 태양은 너무 멀리 있기 때문에 그림자의 크기를 조절할 수 없다.

해설 전등 대신 햇빛을 이용하면 광원인 태양의 위치가 고정되어 있으므로 물체의 위치만 이동시킬 수 있다. 햇빛은 지구에서 너무 멀리 떨어져 있어서 빛이 지구에 도달할 때는 거의 평행하게 들어온다. 따라서 물체의 위치를 이동시켜도 그림자의 크기는 변하지 않는다.

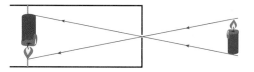

76~77쪽

01 모범답안

- 과정 ① : 전등이 환하게 잘 보인다.
- 과정 ② : 전등이 보이지 않는다.
- 차이가 생기는 이유 : 빛이 직진하기 때문이다.

해설 빨대가 곧은 상태에서는 전등이 환하게 보이지만, 구부러진 빨대에서는 전등이 보이지 않는다. 빛은 직진하기 때문에 구부러진 빨대에서는 막혀서 진행할 수 없다.

02 모범답안 빛이 직진하기 때문에 바늘구멍 사진기를 통해 보면 촛불의 상하좌우가 바뀌어 보인다.

해설 바늘구멍 사진기로 밝은 전등이나 촛불을 관찰한다. 구멍의 크기가 크면 빛이 한 점으로 모이지 않고 퍼지므로 흐릿한 상이 생기고, 구멍이 작으면 선명하고 또렷한 상이 생긴다.

03 모범답안 상하좌우가 바뀐 촛불의 상이 2개 생긴다.

해설 바늘구멍을 통과한 빛이 투사지에 맺혀 상이 생기는 것이므로 바늘구멍 개수만큼 상이 생긴다.

04 모범답안 가정이나 산업 통신용, 의료용 내시경, 장식용 등

해설 오늘날 세계는 이미 많은 광섬유로 뒤덮여 있다. 국가마다 갖추고 있는 유선 통신망은 물론이고 각 국가와 대륙을 연결해주는 해저 케이블도 광섬유로 이루어져 있다. 우리나라에서는 아파트 등 건물을 지을 때 세대마다 광섬유가 연결되도록 정책적으로 장려하고 있다.

정답 및 해설

Ⅳ 화산과 지진

07 분출하는 화산

01 ③, ⑤   **02** ③   **03** ②   **04** ②   **05** ⑤
06 ③   **07** ②   **08** ⑤   **09** ④   **10** ①

01 한라산은 납작한 산 모양으로 멀리서 보면 경사가 완만하다. 또한 산 정상에 움푹 들어간 웅덩이가 있는데 이를 백록담이라고 부른다. 연기가 뿜어져 나오고 있는 화산은 활동하고 있는 활화산이고, 한라산은 화산 활동을 잠시 멈추고 있는 화산이다.

02 화산은 대부분 산 모양으로 생김새가 다양하다. 화산 꼭대기에 분화구는 있는 것도 있고 없는 것도 있다. 이 분화구에 물이 고여 백두산의 천지나 한라산의 백록담처럼 호수나 물 웅덩이가 생기기도 한다.

03 화산이 분출할 때 나오는 물질은 대부분 수증기로 이루어진 화산 가스, 마그마가 지표를 뚫고 나온 용암, 고운 가루처럼 보이는 화산재, 크기가 다양한 화산 암석 조각이 나온다.

04 ① 용암 - 액체 상태
③ 화산 가스 - 기체 상태
④ 화산 암석 조각 - 고체 상태이다.
화산재는 고체 상태로 고운 가루처럼 보이고 만져 보면 밀가루처럼 부드럽다. 화산재의 색깔은 회색이나 갈색이며 화산에서 분출된 후 땅을 뒤덮는다.

05 ① 고운 가루 모양은 화산재이며 화산 가스는 수증기나 김의 형태를 띤다.
② 검붉은 색은 용암의 색이며 화산 가스는 흰색, 회색을 띤다.
③ 조각 중에 큰 것도 있는 것은 화산 암석 조각이다.
④ 눈처럼 내려 땅을 뒤덮는 것은 화산재이다.
⑤ 화산 가스 대부분은 수증기이며, 그 외 여러 가지 기체가 포함되어 있다.

06 화산 활동 모형과 실제 화산의 공통점은 화산 모양이 다양하다는 것이고, 차이점은 화산의 크기, 화산 가스의 성분, 화산이 분출하는 시간 등이 다르다. 실제 용암의 온도는 매우 뜨겁다.

07 지표로 분출된 마그마가 빨리 식어 마그마에 있던 기체가 빠져나가지 못하면 기체가 갇혀 있던 곳에 크고 작은 구멍이 생긴다. 구멍은 땅 위에서 비교적 빨리 식은 현무암에서 관찰할 수 있다. 화강암은 땅속 깊은 곳에서 서서히 식어 구멍이 나타나지 않는다.

08 ㉠ (가)는 현무암, (나)는 화강암이다.
㉡ 현무암은 마그마가 땅 위로 분출하거나 지표 가까운 곳에서 비교적 빨리 식어 알갱이의 크기가 작고 구멍이 있다. 화강암은 땅속 깊은 곳에서 서서히 식으면서 굳어져 알갱이가 크고 구멍이 없다.

09 용두암은 용암이 분출하다가 굳어진 것으로 현무암으로 이루어져 있다. 용두암은 용담동 용연 부근의 바닷가에 위치한 높이 10 m의 바위이다.

10 화산재가 햇빛을 가리면 식물의 광합성에 문제가 생겨 동물에게까지 영향을 미친다. 또한, 화산재 비행기 엔진을 망가뜨려 비행기 운항을 어렵게 만든다. 그 외 화산 활동에 의한 피해로는 가옥이 부서지고 농경지가 용암이나 화산재에 묻히거나 산불이나 산사태에 의한 재산 피해 등이 있다.

01 **모범답안**
• 산 정상 호수의 온도가 올라가고 수위가 낮아진다. - 마그마가 호수 가까이 접근했기 때문이다.
• 고약한 냄새가 난다. - 독성을 가진 기체가 마그마와 분출되기 때문이다.
• 지진이 자주 발생한다. - 땅속의 마그마가 움직이기 때문이다.
• 화산의 경사면에 구멍이 뚫리고 용암이 분출된다. - 용암이 지표면의 약한 부분으로 분출되기 때문이다.
• 땅이 부풀어 오른다. - 마그마가 위로 올라오면서 땅을 밀어 올리기 때문이다.
해설 화산 활동을 기준으로 분류하면 활화산, 휴화산, 사화

산이 있다. 활화산은 지금도 화산 활동을 하고 있는 화산, 휴화산은 잠시 활동을 멈추고 있는 화산, 사화산은 더 이상 화산 활동을 하지 않는 화산이다.

02 모범답안 많은 화산재가 사람들을 순식간에 덮었기 때문이다.

해설 폼페이에서 약 14 km 떨어진 베수비오 화산에서 분출된 화산재가 순식간에 폼페이를 덮쳤고, 사람 몸 위에 두껍게 쌓였다. 화산재가 단단하게 굳어지고 사람이 화산재 안에서 부패하여 분해되었기 때문에 석고의 틀처럼 형태가 유지되었다. 나중에 빈 곳에 석고를 넣어 사람 형태의 모습으로 복원하였다.

03 모범답안 산방산은 마그마의 점성이 커서 잘 퍼지지 않아 경사가 급하고, 한라산은 마그마의 점성이 작아 잘 펴져서 경사가 완만하다.

해설 마그마의 점성에 따라 순상 화산과 종상 화산으로 나누는데, 순상 화산은 산의 경사가 완만한 방패 모양이고 종상 화산은 산의 기울기가 급한 종 모양이다. 마그마의 점성이 작고 유동성이 크면 흘러내리는 속도가 시속 80~90 km 정도로 빨라 굳기 전에 넓은 지역으로 퍼지므로 경사가 완만한 순상 화산이 만들어진다. 산화 규소의 함량이 많아 밀도가 크고 점성이 크면 마치 엿과 같이 끈적끈적하여 넓게 퍼지지 못하고 쌓이므로 경사가 급한 종 모양의 종상 화산이 만들어진다.

04 모범답안 현무암은 용암이 지표면에서 빨리 식어서 알갱이가 작고, 화강암은 마그마가 지하 깊은 곳에서 천천히 식어서 알갱이가 크다.

해설 화강암은 마그마가 지하 깊은 곳에서 천천히 식으면서 알갱이들이 크게 형성되어 여러 가지 색깔의 큰 알갱이들이 나타난다. 현무암은 알갱이들의 성분이 대부분 어두운색으로 구성되어 있고, 용암이 지표면에서 빨리 식으면서 알갱이들이 작게 형성되어 비슷한 색깔의 작은 알갱이들이 나타난다.

융합사고력 키우기
88~89쪽

01 모범답안 화산

해설 지구 내부의 마그마가 한 곳에 모여들면 그곳의 압력이 높아지면서 마그마와 화산 가스가 지각의 약한 부분을 뚫고

조금씩 올라온다. 틈이 지표면까지 생기면, 가스가 솟구치고 이어서 마그마가 따라 올라오면서 화산이 만들어진다. 큰 화산이 분출하면 용암이 지표면을 따라 흘러내리고 여러 가지 화산 물질이 만들어진다.

02 모범답안 화산 지역은 나무나 풀이 적고 퇴적물도 단단하지 않기 때문이다.

해설 라하르는 분화구에 고여 있는 물이 많은 화산일수록 위험하다. 천지가 있는 백두산이 분출할 경우, 20억 톤에 달하는 천지의 물이 흘러내려 북한 양강도와 중국 지린성 일대에 대규모 홍수가 발생할 것이라는 예측이 나온다.

03 모범답안

- 빠른 속도로 주변을 덮치므로 피하기 어렵기 때문이다.
- 매우 뜨거우므로 화재가 발생하기 쉽고 화상을 입기 쉽기 때문이다.

해설 화산쇄설류는 시속 130~180 km로 빠르게 주변을 덮치기 때문에 피하기 어렵고, 온도가 500~700 °C로 매우 높아 화재가 발생하기 쉽다. 또한, 화산쇄설류가 흘러내려 오면 생물들은 심각한 화상을 입으며, 뜨거운 재가 코로 들어가면 호흡기 점막이 손상되어 숨을 쉴 수가 없다. 화산쇄설류는 화산 분출로 인한 사망 원인의 70 %를 차지한다. 폼페이에서 발굴된 시신들이 모두 웅크린 채 발견된 것도 화산쇄설류의 뜨거운 열기 때문이다.

🌱 08 흔들리는 땅

개념 기르기
94~95쪽

01 ①	**02** ⑤	**03** ⑤	**04** ①	**05** ④
06 ③	**07** ④	**08** ③	**09** ⑤	**10** ②, ⑤
11 ①, ⑤				

01 규모는 지진의 세기를 나타내는 단위로 숫자가 클수록 강한 지진을 나타낸다. 규모는 리히터에 의하여 제안되었으며 지진이 일어날 때 방출되는 에너지의 양을 나타낸다.

02 최근에 발생한 지진에 대한 조사 내용은 지진 발생 일시, 지진

발생 장소, 지진의 규모, 지진으로 인한 피해 정도 등이다. 조사한 내용의 발표 방법은 조사 계획 단계에서 결정할 부분으로 조사할 내용에는 포함되지 않는다.

03 일반적으로 지진의 규모가 클수록 피해 정도가 커진다. 또한 지진 발생 지역으로부터 가까울수록 피해 정도가 커진다. 규모는 지진이 일어날 때 방출되는 에너지의 양이기 때문에 지역마다 모두 같은 기준에 의해 측정된다.

04 (가)는 휘어진 지층인 습곡이고, (나)는 끊어진 지층인 단층이다. 지구 내부의 커다란 힘을 오랫동안 받으면 지층이 휘어지거나 끊어지기도 한다.

05 우드록을 세게 밀면 처음에는 휘어지다가 더 세게 밀면 끊어진다. 우드록이 끊어지면서 소리가 나고 우드록의 끊어진 부분과 우드록을 잡고 있던 손이 떨리는데, 이것이 지진이다.

06 우드록은 지층(암석)을 의미하고 우드록을 손으로 미는 힘은 지구 내부에서 작용하는 힘, 우드록이 끊어질 때 손의 떨림은 지진을 의미한다. 땅속에서 지층이 큰 힘을 받으면 휘어지다가 끊어지면서 땅이 흔들리는 지진이 발생한다.

07 지진이 발생하기 전에 해야할 일은 내진 설계에 의하여 건물을 지어야 하고, 무거운 물건은 아래쪽으로 내려 놓아야 한다. 또한 구급약품, 비상식량, 손전등, 휴대용 라디오 등을 준비하여야 한다

08 ① 불을 끄고 가스 밸브를 잠근다.
② 창문이나 발코니로부터 멀리 떨어진다.
④ 엘리베이터를 이용하지 않고, 비상계단을 이용한다.
⑤ 학교에서는 선생님의 지시에 따라 행동하면서 침착하게 운동장으로 대피한다.

09 지하철을 타고 있을 때 지진이 발생하면 지하철 차내 안내방송에 따라 움직이며 고정된 물체를 꽉 잡는다. 문을 열고 뛰어내리면 지나가는 차량에 치이거나 고압선에 감전되는 등의 사고가 발생할 수 있으므로 주의한다.

10 방석 등으로 머리를 보호하는 것과 무거운 물건을 아래로 내려 놓는 것은 지진이 발생하기 전에 해야 할 일이지만, 지진이 발생한 후에도 여진이 더 발생할 수 있으므로 지진에 계속 대비해야 한다. 지진에 의해 옷장이 앞으로 넘어지면 위험하므로 옷장에 들어가면 안 된다.

11 지진 연구 센터에서 하는 일은 지진계를 설치하고 지진 현상을 분석한다. 또한 지진을 예측하고 조기 경보 시스템을 연구하여 지진의 피해를 줄이는 일을 한다.

서술형으로 다지기 96~97쪽

01 **모범답안** 부드러운 지역, 지층이 부드러우면 부서지기보다 휘어질 확률이 높기 때문이다.

해설 (가)는 습곡, (나)는 단층이다. 습곡과 단층은 지구 내부의 힘을 받을 때 만들어진다. 습곡이나 단층의 모양은 지층을 변형시키는 힘의 방향과 암석의 단단한 정도에 따라 결정된다. 같은 힘을 받더라도 어떤 지층은 휘어져 습곡이 될 수 있고, 어떤 지층은 깨어져 단층이 될 수 있다.

02 **모범답안** 펜은 움직이지 않고 기록지가 흔들려 지진이 기록되기 때문이다.

해설 지진계의 추는 관성에 의해 멈추어 있지만, 회전 원통은 땅의 흔들림과 함께 흔들리면서 펜에 의해 지진이 기록된다. 회전 원통이 왼쪽으로 움직이면 기록지에는 오른쪽으로 그려지고, 회전 원통이 오른쪽으로 움직이면 기록지에는 왼쪽으로 그려진다. 또한, 수평지진계는 좌우로 흔들리는 수평 방향의 지진만 기록하므로 위아래로 진동하는 지진은 기록되지 않는다.

03 **모범답안**
• 지진의 정확한 규모(크기)를 알 수 없다.
• 시간에 따른 지진의 변화를 기록할 수 없다.
• 지진이 일어난 위치(진앙)를 알아낼 수 없다.
• 상하 운동하는 지진에 관해서는 알 수 없다. 등

해설 후풍지동의는 서기 132년, 중국의 장형이 만들었다. 지름이 약 2 m인 청동 용기이며, 바깥쪽에 구슬을 입에 물고 있는 8마리의 용이 8방위에 따라 위치해 있고, 그 아래쪽에 8마리의 두꺼비가 입을 벌리고 있다. 지진에 의해 진동이 생기면 구슬이 두꺼비의 입으로 떨어져 지진이 일어난 방향을 알려준다. 후풍지동의는 사람은 느낄 수 없었던 600 km나

떨어진 곳의 지진을 감지했다는 기록이 있다. 후풍지동의 내부는 알려지지 않지만, 내부에 있는 어떤 종류의 진자 운동이 용을 움직였을 것으로 추정하고 있다.

04 **모범답안**
- 우리나라는 지진이 자주 발생하는 지역으로부터 멀기 때문이다.
- 일본이 큰 쓰나미를 막아주기 때문이다.

해설 폭풍, 지진, 화산 분출 등에 의해 바닷물이 크게 높아져 육지로 넘쳐 들어오는 현상을 해일이라고 한다. 해일에는 폭풍 때문에 생기는 폭풍해일과 지진이나 화산 분출로 일어나는 지진해일(쓰나미)이 있다. 우리나라에서는 주로 폭풍해일이 발생하고, 지진해일은 거의 발생하지 않는다. 지진이 자주 발생하는 지역은 일본의 동쪽이고 큰 쓰나미는 일본의 해안가를 주로 덮치기 때문에 우리나라는 일본보다 쓰나미에 안전한 지역이라고 할 수 있다.

융합사고력 키우기
98~99쪽

01 **모범답안** 규모
해설 리히터 규모는 지진파를 이용하여 지진의 에너지의 양을 측정한다. 지진의 규모가 1이 올라갈 때마다 지진의 흔들림(진폭)이 10배씩 강해진다.

02 **모범답안** 지진이 깊은 곳이나 먼 곳에서 발생하거나 규모가 작기 때문이다.
해설 일반적으로 내륙에서 규모 2.5~3.0 정도의 지진이 일어나면 진앙 부근 10 km 이내에 있는 사람만 땅이 흔들리는 것을 느낀다. 하지만 그보다 규모가 작거나, 지진이 발생한 장소가 멀다면 잘 느끼지 못한다.

03 **모범답안** 큰 지진에 의해 불안정해진 땅이 다시 안정을 찾기 위해서이다.
해설 거대한 땅덩어리가 움직이면서 발생한 힘은 응력(외부 힘에 대항해 원래 형태를 유지하려는 힘)의 형태로 곳곳에 쌓인다. 이때 응력이 어느 한쪽에 몰려 있으면 다른 쪽으로 나눠지면서 땅이 스스로 힘의 균형을 찾아 안정화하려는 움직임이 생기는데, 이때 여진이 발생한다. 응력은 어느 방향에서든 크기가 비슷해질 때까지 주위로 전파되고, 이에 따라

여진도 지속된다. 지진의 규모가 클수록 안정화 과정이 오래 걸린다.

탐구력 기르기
100~101쪽

01 **모범답안** 붉은색 액체가 유리병 밖으로 솟아 나와 흘러내린다.
해설 땅속 깊은 곳에 있던 마그마가 지각의 약한 틈을 뚫고 지표 위로 분출되면 압력이 낮아져서 마그마 속에 녹아 있던 가스가 빠져나온다. 화산이 분출하여 지표 위를 흐르는 마그마를 용암이라고 한다. 실험에서 붉은색 액체가 용암이다.

02 **모범답안** 부글부글 거품이 발생하면서 부풀어 오른다.
해설 식초와 소다가 만나면 화학 반응을 하여 이산화 탄소 기체가 발생하므로, 부풀어 오른다. 이때 너무 많이 저으면 이산화 탄소 기체가 모두 빠져나가므로 현무암처럼 구멍이 만들어지지 않는다. 석고가 액체와 섞이면 그만 젓고, 발생한 이산화 탄소가 석고 반죽 안에 갇히도록 가만히 두어야 한다.

03 **모범답안**
- 공통점 : 기체가 빠져나가지 못하고 갇혀 있던 자리에 구멍이 생긴다.
- 차이점 : 현무암은 석고에 비해 매우 단단하다.

해설 현무암은 암석이 녹아 있는 용암이 빠르게 식으면서 굳어져 만들어지므로, 입자가 곱고 단단하다. 또한, 기체가 빠져나가지 못하고 갇혀 있던 곳에 구멍이 생기고, 표면이 울퉁불퉁해서 곡식을 갈 때 사용하는 맷돌을 만드는 데 쓰인다.

04 **모범답안** 우리나라는 판의 경계로부터 안쪽에 위치하지만, 필리핀과 인도네시아는 판의 경계에 위치하기 때문이다.
해설 지구의 지각은 여러 개의 판으로 이루어져 있고, 이 판들은 끊임없이 서서히 움직이고 있다. 판과 판이 만나는 경계에서 화산과 지진이 자주 발생한다.

안쌤이 추천하는
영재교육원 대비 3,4학년 로드맵

STEP

개념＋창의력

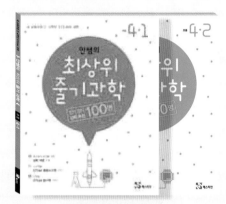

안쌤의 최상위 초등 줄기과학 시리즈 `학기별 8강, 총 32강`

STEP

문제해결력

안쌤의 창의적 문제해결력 시리즈 `수학 8강, 과학 8강`

STEP

실전테스트

안쌤의 창의적 문제해결력 시리즈 `과학 50제, 수학 50제, 모의고사 4회`

안쌤의
창의적 문제해결력 시리즈

안쌤의 줄기과학 시리즈

새 교육과정
3~4학년
학기별
STEAM 과학

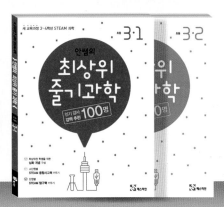

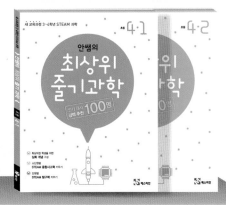

3-1 **8강** 3-2 **8강**   4-1 **8강** 4-2 **8강**

새 교육과정
5~6학년
학기별
STEAM 과학

5-1 **8강** 5-2 **8강**   6-1 **8강** 6-2 **8강**

새 교육과정
중등 영역별
STEAM 과학

물리학 24강 **화학 16강** **생명과학 16강** **지구과학 16강**   **물리학 워크북** **화학 워크북**

안쌤의
줄기과학 시리즈

새 교육과정
3~4학년
학기별
STEAM 과학

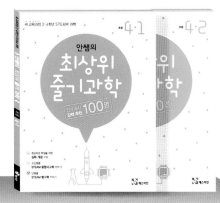

3-1 **8강** 3-2 **8강**   4-1 **8강** 4-2 **8강**

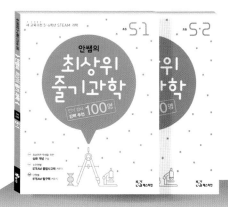

새 교육과정
5~6학년
학기별
STEAM 과학

5-1 **8강** 5-2 **8강**   6-1 **8강** 6-2 **8강**

새 교육과정
중등 영역별
STEAM 과학

물리학 24강   **화학 16강**   **생명과학 16강**   **지구과학 16강**   **물리학 워크북**   **화학 워크북**

안쌤의
최상위
줄기과학

 매스티안

펴낸곳 ㈜타임교육 **펴낸이** 이길호 **지은이** 안쌤 영재교육연구소
주소 서울특별시 강남구 봉은사로 442 **연락처** 1588-6066
팩토카페 http://cafe.naver.com/factos
안쌤카페 http://cafe.naver.com/xmrahrrhrhghkr(안쌤 영재교육연구소)

자율안전확인신고필증번호: B361H200-4001
1. 주소: 06153 서울특별시 강남구 봉은사로 442
2. 문의전화: 1588-6066
3. 제조년월: 2021년 7월
4. 제조국: 대한민국
5. 사용연령: 8세 이상
※ KC마크는 이 제품이 공통안전기준에 적합하였음을 의미합니다.

⚠ 주의
종이, 모서리에 다칠 수
있으니 주의하세요!

안쌤의
창의적 문제해결력 시리즈

초등 1~2 학년

초등 3~4 학년

초등 5~6 학년

중등 1~2 학년

안쌤의 줄기과학 시리즈

새 교육과정
3~4학년
학기별
STEAM 과학

3-1 **8강** 3-2 **8강**   4-1 **8강** 4-2 **8강**

새 교육과정
5~6학년
학기별
STEAM 과학

5-1 **8강** 5-2 **8강**   6-1 **8강** 6-2 **8강**

새 교육과정
중등 영역별
STEAM 과학

물리학 **24강**   화학 **16강**   생명과학 **16강**   지구과학 **16강**   물리학 워크북   화학 워크북